Petits Pratiques Animaux

Chats

Brigitte Eilert-Overbeck

Photos : Monika Wegler

hachette
PRATIQUE

Sommaire

4 Le monde des chats

20 Formidables compagnons

32 En pleine santé

Le monde des chats

Il y a plusieurs millénaires, les chats sauvages d'Afrique se sont rapprochés de l'homme ; ce fut le début d'une longue histoire d'amour. Aujourd'hui, l'on trouve des chats domestiques partout dans le monde, car les chats et les hommes s'entendent à merveille.

Le chat : un compagnon tendre et têtu

Les chats font partie de notre environnement depuis des millénaires. Ils y ont largement conquis leur place : rien que dans les foyers français ronronnent un peu plus de 10 millions de félins. Plus que tout autre animal, les chats sont attachés à leur maison. Ils sont liés à leur maître plus qu'à n'importe quel congénère. Ils voient en lui le compagnon auquel on ne dispute ni territoire, ni proie, ni partenaire sexuel.
L'homme leur procure chaleur et attention. Il les dorlote avec des caresses, les séduit avec des jeux et leur donne leur nourriture. Il joue en quelque sorte le rôle d'une mère. Dans le monde des humains, les chats ont le droit d'être et de rester des enfants, et c'est ce qu'ils font avec passion, mais les chats appartiennent aussi à un autre univers : celui hérité de leurs ancêtres sauvages. Dans ce monde-là, ce sont des prédateurs redoutables – des chasseurs rapides et habiles, aux sens aiguisés et au corps souple. La nature les a dotés, à une échelle plus petite, d'armes efficaces à l'égal du tigre, du puma et du léopard. Hormis les lions et les guépards, tous les félins chassent seuls. C'est pourquoi il n'y a chez eux aucune structure hiérarchique, aucun système naturel de soumission et d'obéissance : sur son territoire, le chat est son propre chef.

Des règles de jeu au lieu d'ordres

Les ordres – même s'ils viennent de leur maître – n'ont aucun sens, d'ailleurs les chats n'en tiennent jamais compte, mais nos tigres de salon ont aussi hérité de leurs ancêtres sauvages la faculté de s'arranger avec leurs semblables et d'accepter des règles. C'est pourquoi rien n'empêche une cohabitation harmonieuse.

La petite histoire des chats

Les chats diffèrent de tous les autres animaux qui ont été domestiqués au cours des millénaires. Contrairement au chien, au bœuf, au mouton et au cochon, ils se sont apparemment très peu éloignés de leurs ancêtres sauvages. Ils n'ont pas non plus renoncé à leur métier de chasseur : le chat traque toujours les souris. Pourtant, nos chats d'aujourd'hui se distinguent nettement de leurs ancêtres : ils sont beaucoup plus proches de l'Homme et également beaucoup plus dépendants.

En suivant les souris

Les chats vivaient encore à l'état sauvage alors que l'Homme utilisait déjà d'autres animaux. Ils vinrent de leur propre gré, lorsque les Hommes devinrent sédentaires et qu'ils firent des stocks de provisions qui attiraient des hordes de souris. Les chats comme les hommes tirèrent parti de cette situation : les uns capturèrent des proies grasses, les autres virent leur récolte sauvée des rongeurs. Ces partenaires dissemblables se plurent et se

Un terrain difficile ? Pas pour un chat ! Grâce à des coussinets épais et un fantastique sens de l'équilibre, il peut très bien se déplacer sur la barrière en marchant sur la pointe des pieds.

découvrirent des affinités communes : avoir un toit protecteur, une vie bien réglée, un certain confort et un contact tendre et amical, ainsi qu'en témoignent des représentations très anciennes.

Un même ancêtre : le chat ganté

L'ancêtre de tous les chats domestiques est le chat ganté libyen (*Felis silvestris lybica*). Il vivait dans une grande partie de l'Afrique, et surtout au nord de la péninsule Arabique. Comme l'a prouvé tout récemment le généticien Carlos Driscoll, de l'université d'Oxford, les ancêtres des chats domestiques du monde entier proviennent de cette région du Proche-Orient.

Dieux et démons

Dans l'Antiquité, les descendants apprivoisés du chat ganté peuplaient même le panthéon égyptien. Râ, le dieu du soleil, combattait le serpent des ténèbres sous les traits d'un chat ; Bastet, la déesse dotée d'une tête de chat, était la protectrice de l'amour, de la fertilité et du bonheur. Les chats étaient aussi sacrés pour la déesse-mère, Isis. Ils accompagnaient Diane, déesse romaine de la lune et de la chasse, et peuplaient les temples et les palais d'Asie. Dans l'Occident chrétien, ils furent longtemps les compagnons favoris de la Vierge Marie – jusqu'à ce que se répande la superstition, à la fin du Moyen Âge. Durant des siècles, les chats furent persécutés, torturés, tués et quasiment exterminés. Ce n'est qu'au XVIIIe siècle qu'ils furent réhabilités comme animaux domestiques.

À la conquête du monde

Il y a environ 3 500 ans, la domestication des chats était achevée. C'est alors qu'ils quittèrent peu à peu le Proche-Orient pour conquérir le monde.

Rien n'échappe à la vigilance du chasseur concentré, ni le moindre mouvement ni le moindre bruit.

Les interdictions d'exportation, comme celles décrétées par les anciens Égyptiens, n'empêchèrent pas les félins d'embarquer sur des navires. Très vite, il devint naturel d'avoir un chat à bord pour protéger la cargaison contre l'avidité des rongeurs. C'est ainsi que les chats proliférèrent et s'adaptèrent à de nouveaux milieux : dans les montagnes rudes d'Asie Mineure apparurent les premiers chats à poils longs, ancêtres de nos Persans, et des chats à poils mi-longs. Dans le Sud-Est asiatique, les chats développèrent un corps mince à pelage court : les ancêtres du Siamois et du Burmese. Dans les régions au climat tempéré, cela donna une race au corps compact et au pelage épais avec un sous-poil isolant : le type primitif de notre chat domestique, l'Européen à poil court. Même les races de chats des forêts comme le Maine Coon, le chat Norvégien et le chat Sibérien, sont le résultat d'une adaptation au climat.

Calme et équilibré

Le Persan

Origine. Le Persan a d'abord été élevé en Angleterre. Cette race est issue du croisement d'Angoras (ainsi appelait-on jadis tous les chats à poils longs) et de chats domestiques à poils courts. **Aspect général.** D'allure majestueuse, le Persan est le digne descendant des chats de luxe à poils longs qui vivaient jadis dans les cours princières. De toutes les races, c'est celui qui a la robe la plus longue : une fourrure souple et soyeuse, avec une collerette qui forme presque une crinière. Le corps est puissant, légèrement ramassé, les pattes sont courtes et trapues, la tête large avec un « stop » caractéristique et de grands yeux lumineux. **Caractère.** Le Persan est calme mais pas flegmatique ; il est équilibré mais pas paresseux ; câlin mais pas « crampon ». Il s'adapte avec facilité à la vie en appartement et exige beaucoup d'attention de la part de son maître – entre autres, lors de l'indispensable entretien quotidien de sa longue toison.

Robuste et pas compliqué

Le Maine Coon

Origine. Originaire du nord-ouest des États-Unis, précisément de l'État du Maine, la queue de ce chat fut d'abord confondue avec celle d'un raton laveur. Il fait partie des races de chats des forêts qui ne sont pas le fruit d'un élevage planifié mais dont la filiation s'est faite naturellement. Il compte parmi ses ancêtres des chats à poils longs introduits dans le pays par des marins. **Aspect général.** Adaptés aux intempéries, ces grands chats sont de solides gaillards : un mâle peut peser jusqu'à 9 kg. Les poils de couverture mi-longs sont imperméables, le sous-poil très épais, surtout en hiver, isole du froid. Le Maine Coon a un nez anguleux, de grands yeux et de larges oreilles garnies de jolis plumets. **Caractère.** Ce chat est d'un naturel peu compliqué et amical, qui garde son calme au milieu de l'agitation familiale et fait bon ménage avec les autres animaux. Il aime aussi s'ébattre à l'extérieur et traque les souris avec passion.

Simple et facile à vivre

Le British Shorthair

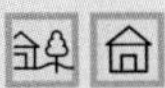

Origine. La race est originaire de Grande-Bretagne. Ses ancêtres sont les chats domestiques et les chats persans. On l'élève, dans sa forme actuelle, depuis les années 1950.

Aspect général. Le British Shorthair est rond, compact et trapu. Sa tête est large avec des joues pleines, de petites oreilles et de grands yeux ronds qui vont de l'orange au cuivré. Le pelage est très épais et la queue mi-longue est fournie. On recense de nombreuses couleurs de robes. Le British Blue ressemble fort au Chartreux, mais ce dernier est considéré par de nombreuses organisations d'élevage comme une race indépendante.

Caractère. Le British Shorthair est aussi robuste et facile à vivre qu'il en a l'air. Il « parle » à ses maîtres d'une voix agréablement douce. Il est à l'aise en appartement, accepte facilement ses congénères et les autres animaux. Grâce à son caractère équilibré, il peut aussi s'adapter à une vie de famille animée.

Intelligent et curieux

Le Bengale

Origine. Apparu aux États-Unis, vers 1960, il est issu du croisement de chats du Bengale sauvages (*Felis bengalensis,* également appelés « Asian Leopard Cat ») et de chats domestiques ou de chats de race.

Aspect général. Le Bengale est grand, svelte et musculeux. Son pelage court, fin et épais comporte des points, des taches et des rosettes qui vont du marron au noir. Cela lui donne réellement l'air d'un léopard miniature. Ses longues pattes font de lui un grimpeur et un sauteur hors pair.

Caractère. Le Bengale est amical et accommodant avec ses congénères et les autres animaux. En outre, il est très curieux et extrêmement intelligent. Ce mini-léopard accapare volontiers ses maîtres et se montre très adroit et docile lors des jeux. Certains spécimens de cette race adorent tellement barboter dans l'eau qu'ils vous suivent volontiers sous la douche.

beaucoup d'entretien  idéal au jardin  idéal en appartement  a besoin d'exercice

Intelligent et élégant

L'Abyssin

Origine. Primitivement originaire d'Afrique, l'Abyssin fut élevé en Grande-Bretagne dès la fin du XIXe siècle. Il est reconnu dans le monde entier depuis la fin des années 1940.
Aspect général. Tout chez ce chat produit une réelle impression d'élégance : haut sur pattes, son corps est souple, de taille moyenne, sa tête est légèrement cunéiforme avec de grandes oreilles et des yeux en amande, sa queue est longue et pointue, et surtout son pelage est court, épais et soyeux. Chaque poil porte des bandes claires et foncées. Ces caractéristiques confèrent à l'Abyssin une allure convoitée de chat sauvage.
Caractère. L'Abyssin est très intelligent, attentif et plein de vivacité, mais parfois aussi un peu émotif. C'est un chasseur hors pair et s'il vit en appartement, il faut lui procurer beaucoup de stimulations, d'activités et de mouvement. Cet animal gentil et très affectueux adore avoir ses maîtres auprès de lui.

Affectueux et un peu timide

Le Bleu russe

Origine. Ce sont des marins du port d'Arkhangelsk, sur la mer Blanche, qui introduisirent cet élégant félin en Europe de l'Ouest vers 1860. Parce que la race était presque éteinte après 1945, de nombreux éleveurs opérèrent des croisements avec des Siamois pour pouvoir la maintenir.
Aspect général. Son corps mince mais athlétique, ses yeux d'un vert lumineux et ses moustaches marquées sont à eux seuls un régal pour les yeux, tout comme son épais pelage gris-bleu aux reflets argentés. Les sous-poils et les poils de couverture d'égale longueur lui confèrent une texture pelucheuse, le reflet est produit par la pointe transparente des poils.
Caractère. Le Bleu russe est très gentil et accommodant. S'il est attaché à son maître avec une tendresse passionnée, il est en revanche plutôt distant envers les étrangers. Le bruit et l'agitation l'intimident. Il est également à son aise dans un logement relativement petit.

Sociable et sûr de soi

Le chat Sibérien

Origine. Le Chat sibérien est primitivement originaire de Russie et d'Ukraine. Comme le Maine Coon et le chat des forêts norvégiennes, c'est une race issue de croisements naturels.

Aspect général. C'est un chat puissant, musculeux et de taille moyenne. La tête, un cône court, donne l'impression d'être harmonieusement arrondie, les yeux en amande sont très écartés. Le pelage mi-long est composé de poils de couverture lisses, durs et imperméables, et d'un sous-poil dense et souple qui le protège du froid – il a donc la fourrure typique des chats des forêts, avec un plastron marqué, une « culotte » sur les pattes arrière et une queue magnifiquement fournie. Les oreilles sont garnies de plumets.

Caractère. Ce chat aime la compagnie, les câlins et les jeux, mais il doit avoir aussi la possibilité de se mettre en retrait de temps à autre. Il est suffisamment sûr de lui pour faire savoir à son maître quand il a envie d'avoir la paix.

Joueur et câlin

Le Birman

Origine. Selon la légende, le sacré de Birmanie proviendrait des temples d'Asie du Sud-Est. Il est cependant probable que la race soit née dans le sud de la France et soit le fruit de croisements entre des chats à poil long et des Siamois. L'élevage systématique remonte au milieu des années 1920.

Aspect général. Le Birman est puissant et musculeux, les pattes sont trapues et le pelage, de mi-long à long, est clair, soyeux avec peu de sous-poil. Comme le Siamois, il a des yeux d'un bleu lumineux ; la face, les oreilles, les pattes et la queue portent des marques marron. Les pieds sont blancs. Les chatons naissent avec un pelage court et blanc.

Caractère. Le Birman est d'un naturel gentil et il s'entend bien avec ses congénères et les autres animaux. Il aime les câlins et les jeux et se montre patient avec les enfants. Plus alerte que le Persan, il est aussi incontestablement plus calme que ses ancêtres siamois.

beaucoup d'entretien  idéal au jardin   idéal en appartement  a besoin d'exercice

Des chats et des chatons

Les chattes adultes sont en chaleur deux ou trois fois par an, donc prêtes à s'accoupler. Elles se roulent sur le sol, crient sur tous les tons pour appeler un partenaire et attirent ainsi tous les prétendants du voisinage. Combats de mâles et sérénades précèdent le « mariage des chats ». Vient ensuite la progéniture, car l'accouplement est généralement suivi d'une gestation. Celle-ci dure environ neuf semaines.

Des expériences positives avec les hommes marquent les chatons de 4 à 7 semaines de façon indélébile.

Des mères dévouées à plein temps

Pour la mise bas, la chatte cherche un petit coin protégé et met au monde de trois à cinq petits en quelques heures. Les nouveau-nés absorbent, avec le lait maternel, d'importants anticorps et sont ainsi protégés contre de nombreuses infections pendant les deux mois qui suivent. Durant les quatre premières semaines de vie, la mère s'occupe d'eux 24 h/24. Elle les réchauffe, les soigne, les nourrit, masse patiemment et doucement leur petit ventre avec sa langue après la tétée et maintient la propreté du nid en ingérant leurs déjections.

Des débuts difficiles

En arrivant au monde, les chatons sont des petites boules de poils d'à peine 100 g, aux pattes grêles. Aveugles, presque sourds et incapables de stabiliser la température de leur corps, ils sont totalement dépendants de leur mère, cependant ils font des progrès fulgurants. À 2 semaines, ils peuvent déjà ronronner, réagir aux bruits, rentrer leurs griffes et percevoir des ombres avec leurs yeux bleus de bébés. Les chatons de 6 semaines ont une audition parfaite, une vision très améliorée et toutes leurs dents de lait. Ils font leur toilette, utilisent le bac à chat, crapahutent un peu partout et jouent à capturer. Lorsqu'ils en ont l'occasion, ils tuent même déjà des proies. La mère les allaite de moins en moins et, vers 8 semaines, ils sont en principe totalement sevrés.

De la boule de poils à la personnalité

Très vite, les boules de poils deviennent de petits prédateurs, avec chacun un tempérament et un caractère un peu différents de ceux des frères et des sœurs, mais le lien familial demeure primordial pour leur développement. En jouant ensemble et en côtoyant leur mère, les chatons étudient les comportements des chats adultes et apprennent à s'arranger avec leurs congénères. À 12 semaines, au plus tard à 16, l'apprentissage est terminé, ils peuvent conquérir leur famille humaine et leur nouveau territoire. Ils sont pleins d'ardeur, mobiles comme des acrobates et leur vision est aussi parfaite que celle proverbiale du lynx. À 6 mois, ils ont leur denture complète d'adulte. Les chatons deviennent plus calmes, vers 7 à 9 mois ; la période la plus turbulente est derrière eux. C'est alors que les pulsions s'éveillent...

L'apparition de la puberté

Chez les mâles, elle se manifeste par l'urine. Tout à coup, l'odeur du prédateur « parfume » clairement la maison et se répand partout, tel un message destiné aux chattes en chaleur. Mâles et femelles n'ont alors plus qu'une idée en tête... Conséquence : une prolifération de chatons qui ne trouveront pas de foyer. Seul le vétérinaire détient la solution du problème, à savoir la castration – chez les deux sexes. Les animaux ne souffrent pas de la suppression de l'instinct sexuel et cela ne trouble pas leur développement ultérieur. Car celui-ci n'est pas encore achevé. Les chats ne sont adultes qu'à l'âge de 1 an. Nombre d'entre eux n'atteignent leur taille définitive qu'à l'âge de 2, voire 3 ans pour certains mâles. Mais un « grand » est tout aussi content qu'un bébé chat de ronronner sur les genoux de son maître.

Les **phases** du **développement**

LES CONSEILS DE L'EXPERTE
Brigitte Eilert-Overbeck

Dans la vie d'un chaton, il y a plusieurs phases d'imprégnation. Ces courtes périodes préparent le terrain pour son futur développement.

À PARTIR DE LA 2e SEMAINE commence une phase cruciale qui dure jusqu'à la fin de la 7e semaine. Chaque expérience positive avec le milieu apporte aux petits un peu de confiance. Les familiariser doucement avec les membres de la famille, d'autres personnes mais aussi le fonctionnement normal de la maison fera d'eux des chatons ouverts à tout.

DE LA 4e À LA 7e SEMAINE, il est facile pour le chaton de nouer des contacts sociaux – y compris et surtout avec les humains. Les caresses, les câlins et les jeux sont à présent souhaitables. Et s'il vous plaît : n'oubliez pas leur mère, elle aussi a besoin de caresses !

DE LA 8e À LA 12e SEMAINE, les chatons « parlent » beaucoup. Si l'on se prête au jeu, on peut « converser » avec eux dans un dialecte mixte homme-chat – et on les entraîne à la prise de contact avec leur nouvelle famille.

Des chasseurs accomplis au pas silencieux

Queue

Garder toujours un bel équilibre – voilà à quoi sert la queue avec ses nombreux muscles. Les chats l'utilisent comme gouvernail lors des sauts ou comme balancier. Elle est aussi le baromètre de l'humeur et un moyen d'expression.

Pelage

Un pelage bien entretenu protège le chat des petites blessures, des coups de soleil et de la pluie. C'est un super-climatiseur et un moyen d'expression : les chats en colère ou craintifs hérissent leurs poils pour paraître plus gros et intimider ainsi l'adversaire.

Pieds

Les chats marchent sur la pointe des pieds. Tels des sprinters, ils sont capables de changer de direction en pleine course. Les griffes sont des outils polyvalents : le chat s'en sert pour grimper, se battre ou tenir une proie. Pour leur garder leur efficacité, il doit les affûter régulièrement.

Oreilles

Les oreilles du chat entendent tout ! Mêmes des sons situés dans les hautes fréquences. Le chat peut savoir d'où provient un bruit, entre autres, grâce à ses pavillons. Il peut les faire pivoter à presque 180° et même percevoir des bruits infimes. En bougeant ses oreilles, le petit félin extériorise aussi ses états d'âme.

Yeux

Les chats peuvent voir en relief et évaluer les distances. La couche réflectrice à l'arrière de l'œil renforce la lumière qui parvient à la rétine. C'est pourquoi les yeux des chats, avec leurs pupilles dilatées, voient très bien dans la pénombre.

Nez

Les chats utilisent leur nez avant tout pour examiner la nourriture, ainsi que lors des rencontres et de l'accouplement. De plus, grâce à sa truffe, le chat teste la température d'un objet avant de le toucher.

Langue

La langue des chats, recouverte de papilles, est un instrument polyvalent : elle sert à laver et à lisser le pelage, de cuillère pour boire, et nettoie les restes de viande sur les carcasses de ses proies.

Vibrisses

Ces poils tactiles raides et très sensibles, situés sur le museau, au-dessus des yeux et à l'arrière des pattes avant, sont les antennes du chat. Grâce à elles, il sent les obstacles avant de les toucher et peut s'orienter dans l'obscurité. En outre, il peut percevoir des proies ou des objets inconnus.

Êtes-vous fait pour avoir un chat ?

Près de 10 millions de chats vivent dans les foyers français. Depuis des décennies, les zones rurales ne cessent de décroître au profit d'un nombre croissant d'immeubles et de maisons, le tout zébré d'un réseau autoroutier sur lequel défilent toujours davantage de véhicules.
Où un chat trouve-t-il de nos jours encore des zones de chasse giboyeuses ? Où peut-il circuler sans danger ? Plus que jamais les chats ont aujourd'hui besoin d'aide, de protection et de compréhension.

Les attentes du chat

Fidélité. Un chat peut vivre environ 20 ans, vous prenez donc un engagement de longue durée. Cela veut dire aussi que vous devez être là pour lui en cas de maladie et trouver quelqu'un pour vous remplacer si, un jour, vous ne pouvez pas vous en occuper. Naturellement, assurez-vous aussi qu'il n'y a pas d'empêchement : allergie aux poils de chats, interdiction de posséder un animal. Sachez que vous ne réussirez une cohabitation harmonieuse que si le chat est accepté par toute la famille.

Affection partagée : les amateurs de chats ont une relation particulière avec ces animaux et sont très vite perçus par eux comme des « superchats ».

Entretien. Il faut compter 500 € par an pour la nourriture, la litière, le vétérinaire et les extras.
Tolérance. Même un brave chat peut faire ses griffes sur les tapis ou les meubles. Il perd des poils toute l'année, avec un pic au printemps et en automne. On ne peut rien lui ordonner et lui interdire que peu de choses. Parfois il feinte simplement ses maîtres. Pourrez-vous supporter ses particularités et sa personnalité avec un sourire – et peut-être même y prendre plaisir ?
Territoire. Les tigres de salon qui ne sortent pas ont besoin d'un territoire avec un coin pour dormir, un coin repas et un coin toilette. Ils ont besoin d'un espace à arpenter, d'aires de repos et de possibilités d'escalade et de griffade. Avez-vous assez de place et êtes-vous prêt à aménager votre intérieur pour votre chat ?
Affection. Les chats aiment avoir un contact étroit avec leurs maîtres, au moins quelques heures par jour, pour les câlins, les caresses, les jeux et pour se rassurer : « Mon maître est là pour moi. » C'est la seule façon d'instaurer la confiance entre l'animal et son propriétaire.
Constance. Les chats aiment avoir une vie calme et toute tracée. Il leur faut un peu de temps pour assimiler un déménagement ou le nouveau partenaire de leur maître. Mieux vaut donc reporter à plus tard les changements d'importance.

L'âge du chat – l'âge de l'homme

L'HORLOGE BIOLOGIQUE d'un chat est différente de la nôtre. Un chat d'un an correspond à un ado de 15 ans, un de 2 ans à un homme de 20 ans. Les quatre années suivantes du chat représentent chacune cinq années humaines. Jusqu'au 12e anniversaire, on compte pour chaque année de plus quatre années humaines, puis plus que trois, mais les chats ne vieillissent pas tous pareil.

Chaton ou chat adulte ?

Voir grandir des chatons est une immense joie, mais ce bonheur réclame des nerfs d'acier, une bonne dose de patience et beaucoup d'attention. Ces petits brigands ont vite fait de mettre votre intérieur sens dessus dessous. Leur curiosité et leur énergie sans borne les mettent souvent en danger. Précaution et prudence sont donc exigées ainsi qu'une certaine disponibilité : les petits doivent faire de 3 à 5 repas par jour.
Il faut aussi réserver jusqu'à 2 h pour les jeux. En outre, cela demande du temps pour qu'un chaton apprenne et accepte les règles de la cohabitation.
Si vous possédez toutes les qualités requises pour avoir un chat, mais que vous n'avez pas autant de temps à consacrer, cela ne doit pas vous faire renoncer à avoir un petit compagnon :
on trouve non seulement dans les refuges, mais aussi chez certains particuliers ou chez des éleveurs, des chats adultes qui n'ont pas encore trouvé « leur » maître ou l'ont peut-être perdu.
Ils sont beaucoup plus calmes, plus posés et s'acclimatent généralement facilement. Ils sont également affectueux, aimants et tendres, à condition toutefois que la confiance s'installe.
En tant que maître, vous pourrez certainement leur faciliter les choses.

La famille s'agrandit

Un chat doit s'entendre non seulement avec vous mais aussi avec votre famille. Une bonne raison pour jeter un œil sur l'environnement domestique avant son arrivée.

À deux dès le début. Les chats ne sont pas des solitaires grognons. Alors pourquoi ne pas en adopter deux ? Dans beaucoup de portées, on rencontre des frères et sœurs qui aiment tout faire ensemble. De même, plus d'un couple de chats qui a atteint l'âge adulte aimerait poursuivre leur vie ensemble. En tout cas, pour les chats d'intérieur, qui doivent rester seuls dans la journée, partager leur territoire avec un congénère est le meilleur moyen de vaincre l'ennui. À deux, les chats s'acclimatent beaucoup plus rapidement à leur nouvel environnement – et leur maître reçoit une double dose d'amour. Peu importe que vous optiez pour deux mâles, deux femelles ou un duo mixte : les animaux qui vivent ensemble depuis le début s'entendent généralement bien par la suite.

À propos, si vous ne voulez pas faire d'élevage, vous avez intérêt à faire stériliser vos chat(te)s.

Le second chat. Même si vous avez déjà un chat, les raisons sont nombreuses pour que vous en adoptiez un second. En général, il est préférable d'associer un chaton à un animal adulte. Cela se passe plus aisément qu'avec un chat plus vieux et est mieux accepté. Il n'y a que quelques cas où il vaut mieux s'abstenir :

› Votre chat a atteint un âge avancé ou est en mauvaise santé. Un jeune animal, autant dire une petite boule d'énergie, représente trop de stress.

› Votre chat a perdu son ancien compagnon et celui-ci lui manque. Il est probable qu'il ne pourra rien entreprendre avec un chaton. Mettez-vous plutôt en quête d'un chat plus âgé, qui s'entende bien avec ses congénères. De tels petits « génies sociaux » ne se trouvent pas uniquement parmi les chats de refuges.

› Il se plaît depuis des années dans son rôle de soliste et vous lui consacrez beaucoup de temps. Mais grâce au concours de leur maître, la plupart des chats s'habituent l'un à l'autre ou du moins se supportent. Les mâles ont généralement moins de difficulté que les femelles. Les chats se lient plus facilement d'amitié quand leurs caractères s'accordent ou se complètent : un chat « pot de colle » aura moins de raisons d'être jaloux, si le nouveau venu se passionne davantage pour les jeux que pour les câlins.

Les chats aiment dormir et somnoler toute leur vie. Mais ils ont aussi besoin d'être stimulés – par exemple, par un congénère.

Une approche prudente : il faut un peu de temps et beaucoup de patience pour que le chat plus âgé se lie d'amitié avec le nouveau venu.

Ces deux-là pourront s'entendre d'une façon merveilleuse – si l'homme joue habilement les intermédiaires.

Chat et chien. Ils s'entendent bien mieux que ne le suggère le proverbe. Néanmoins, il faut du doigté pour les habituer l'un à l'autre : les deux animaux ont des langages différents, ce qui crée des malentendus au début. Un chien de famille, bien éduqué, acceptera en principe un chaton. Un chat adulte, qui a eu de mauvaises expériences avec les chiens et qui donne des coups de pattes pour se protéger, sera moins facile à convaincre. Certaines races, comme les terriers, ont du mal à respecter un chat en tant que membre de la famille.

Les autres animaux domestiques. On peut, avec de la patience, familiariser des grands lapins avec des chats gentils. Mais ne les laissez pas pour autant seuls ensemble. Les cochons d'Inde et autres rongeurs ainsi que les oiseaux sont considérés comme des proies par le chat. Ils se sentent généralement mal à l'aise en présence du prédateur, même s'ils sont en sécurité dans une cage ou un enclos. Ces petits animaux seront mieux dans un lieu dont l'accès est interdit au chat.

Enfant et chat. Ces deux-là s'entendront parfaitement – à condition que l'enfant ait appris le respect envers autrui et traite les animaux avec douceur. C'est généralement le cas chez les enfants d'âge scolaire, mais un enfant ne peut avoir la charge d'un chat avant 12 ans. Et même dans ce cas, la responsabilité du chat incombe aux adultes.

Chat d'extérieur ou tigre de salon ?

Pas de doute : les chats adorent vagabonder dehors. Mais cela ne peut se faire que s'il n'y a pas de voitures autour de la maison, pas de terrain de chasse aux alentours et que les voisins n'ont rien contre les chats. Le jardin clôturé est un bon compromis, un enclos à l'air libre (p. 53) n'est pas mal non plus. Par chance, même un appartement, sans possibilité de sortir, peut devenir un territoire excitant pour un chat (p. 24-25). Dans ce cas, mieux vaut adopter un chaton qui a été élevé en maison durant la phase d'imprégnation (jusqu'à la 7e semaine). Il ne souffrira pas du manque de liberté.

Formidables compagnons

Les hommes et les chats sont faits pour s'entendre. Mais pas tous les chats et pas tous les hommes. La réussite de l'équipe tient surtout à l'aménagement du nouveau foyer. De plus, l'origine du nouveau compagnon est également primordiale.

Une bonne association dès le début

Tout d'abord, il s'agit de savoir comment trouver un chat. Plus d'un est mis devant le fait accompli par un chat, qui (quelles que soient ses raisons) cherche un nouveau foyer d'accueil. Un beau jour, il se présente et dit clairement : « Je veux vivre avec toi ! » Les animaux semblent avoir une bonne intuition pour reconnaître ceux qui les aiment. Une telle adoption débouche généralement sur une relation heureuse qui dure toute la vie du chat. Mais il y a aussi un risque : l'homme adopté doit déclarer qu'il a trouvé un chat. Si, au bout de six mois, on n'a pas retrouvé son propriétaire, il a le droit de garder le chat. Il arrive aussi que des chats survivent à leurs maîtres ou que leur propriétaire ne puisse plus s'occuper d'eux. Alors les « bonnes mains » souvent citées sont recherchées. Les vôtres ? Peut-être connaissez-vous et aimez-vous déjà les chats. Et puis, un félin de « seconde main » est souvent un chat de première classe. Vous connaissez ses habitudes et ses préférences, et il est déjà bien éduqué. Désormais, il ne lui manque plus que votre compréhension pour supporter le bouleversement survenu dans sa vie.

Ce sera un chaton

Voir grandir un chaton (ou deux) a son charme. Il y a toujours quelque part une portée de chatons à placer, et chaque petit est ravissant. Mais tous ces charmants lutins ne conviennent pas à tous les maîtres ni à tous les milieux. Dans un élevage, le terrain vous est préparé : celui-ci est confiant et ouvert ou celui-là plutôt sceptique et craintif. Chat d'un seul maître ou chat de famille ? Chat d'intérieur ou chat qui sort à sa guise ? Cela vaut donc la peine de vérifier précisément de quelle « maison » est issu le chaton.

L'embarras du choix

Vous cherchez un chaton qui prendra vite confiance et a reçu une bonne éducation de base ? La règle d'or dit : vérifiez la nursery de votre futur compagnon ! Observez le milieu dans lequel vivent la mère et ses petits. Regardez si le coin repas, les corbeilles et les bacs sont propres et hygiéniques, et si les animaux donnent l'impression d'être sains et entretenus. Et surtout, s'ils sont traités avec amour par leurs maîtres et sont en contact avec la famille. Les chatons qui grandissent ainsi en sécurité ont fait des expériences positives durant la phase d'imprégnation (p. 13). Ils s'acclimateront vite chez vous. S'ils sont vaccinés, vermifugés et déparasités, vous leur épargnerez des visites chez le vétérinaire durant les premiers temps, et les débuts seront plus faciles pour tout le monde.

Une bonne nursery pour un bon départ dans la vie : si la mère a confiance en son maître, cela se transmet aussi aux petits.

Un chat de race issu d'un élevage

La règle d'or vaut aussi pour l'achat d'un chaton de race. De plus, il y a un point important : choisissez ces petits animaux uniquement chez un éleveur sérieux ! Des organismes de contrôle (p. 62) vous communiqueront sur demande des adresses d'éleveurs proches de chez vous.
Pour faire de l'élevage, il faut appartenir à une association ou un club et respecter des obligations strictes. Vous pouvez vous fier à un éleveur s'il :

› se comporte avec ses chatons selon la règle d'or. Un mâle reproducteur, même s'il est éventuellement logé à part, doit faire partie de la famille et recevoir de l'affection ;
› ne cède aucun chaton avant la 12e semaine ;
› vous remet le contrat de vente et les papiers du chaton (pedigree, certificat de santé et carnet de vaccination) ;
› veut savoir comment les animaux vont vivre chez vous, prend le temps de répondre à vos questions et est prêt à vous conseiller après l'achat. Un chaton de race coûtera au minimum 600 €, car l'élevage de chats exige temps et argent : la nourriture haut de gamme pèse dans le budget, de même que les frais vétérinaires et d'association, les frais de saillie ou les dépenses pour l'aménagement de la chatterie. La participation aux expositions est chère, mais incontournable : seuls les animaux très bien notés sont autorisés à se reproduire.

Et qu'avez-vous pour votre argent ? Un chaton sain, confiant, dont l'apparence et le caractère sont typiques de sa race. Un tendre compagnon pour de nombreuses années, cela n'a pas de prix.

Une seconde chance : le chat de refuge

Vous aimeriez faire quelque chose pour la défense des animaux ? Dans les refuges ou par le biais des associations de protection animale, vous trouverez des chats et des chatons qui ont été négligés, rejetés ou abandonnés. Les refuges sont sous contrôle vétérinaire, les associations de protection collaborent également avec des vétérinaires. Soyez sans crainte, vous ne ramènerez pas chez vous un animal malade. Prenez le plus de renseignements possible sur le chat que vous avez choisi auprès des soigneurs, accordez-lui un peu de temps pour qu'il prenne confiance – et acceptez le fait qu'il ne sera peut-être jamais un chat de famille sans complication ou un chat câlin. En lui offrant quand même une chance et en faisant preuve de patience, vous finirez par gagner son amitié. Peu importe que vous adoptiez un animal jeune ou adulte : même les chats d'un certain âge s'attachent à leur nouveau maître au bout d'un certain temps – s'il réussit à gagner leur confiance.

Prudence avec les vagabonds

Un chat errant s'est glissé jusque dans votre cœur ? Cela peut être le début d'une profonde amitié, mais comme pour un chat de refuge, il vous faudra beaucoup de patience et de compréhension auprès d'un tel animal, et aussi un bon vétérinaire, car l'ex-vagabond devra être examiné, déparasité et vacciné le plus tôt possible. Certains vagabonds sont et resteront sauvages parce qu'ils n'ont jamais été socialisés. La meilleure façon de leur venir en aide est de soutenir les projets de protection animale, qui leur procurent nourriture et abris contre les intempéries et, surtout, veillent à faire castrer ces animaux, afin de limiter leur prolifération.

Comment **reconnaître un chat sain ?**

LES CONSEILS DE L'EXPERTE
Brigitte Eilert-Overbeck

UN COMPORTEMENT CURIEUX. Certes, il se peut que le chaton soit fatigué et il y a des différences de tempéraments, mais prudence, si l'animal est apathique et ne réagit pas.

DES YEUX CLAIRS, exempts de larmes et de croûtes, la 3e paupière reste invisible.

DES GENCIVES ET MUQUEUSES ROSES, des dents blanches et sans tartre.

UN PETIT NEZ PROPRE qui ne coule pas. Il peut être légèrement humide et froid ou bien chaud et sec, mais jamais crevassé. Les oreilles sont propres et sans mauvaise odeur.

UN PELAGE ÉPAIS ET LISSE, sans nœuds ni feutrage.

UN CORPS FERME ET ROBUSTE avec des flancs minces mais pas maigres.

UN DERRIÈRE PROPRE, sans excréments.

UNE BONNE IMPRESSION GÉNÉRALE : respiration calme et régulière, démarche souple, coussinets lisses, sans blessure ni crevasse.

Tout pour le chat – l'équipement

Dès que votre nouveau compagnon se sentira bien chez vous, il considérera votre intérieur et tout ce qui va avec comme son territoire et sa propriété personnelle. Il a cependant besoin de quelques accessoires bien à lui. Procurez-vous ces objets avant son arrivée – le petit félin comprendra cela comme un signe de « bienvenue ».

Je griffe, donc je suis...

... maître chez moi. On ne peut imaginer l'équipement d'un chat sans un grand et solide arbre à chat ou un griffoir équivalent. L'affûtage des griffes ne sert pas seulement à faire de la gymnastique et entretenir les « armes », mais également à signifier : « C'est mon territoire et c'est moi qui commande ici ! » Pour un tigre de salon, on peut même ajouter quelques griffoirs supplémentaires, répartis dans plusieurs pièces. Autrement, il s'attaquera à vos meubles.

De la gamelle au panier

Les chats doivent avoir leur propre vaisselle : deux écuelles (pour la nourriture sèche et humide), idéalement en céramique ou en acier, disposées sur un set lavable et antidérapant. Il faut aussi prévoir une écuelle pour l'eau, mais elle doit être placée à au moins deux mètres du coin repas : comme leurs cousins sauvages, les chats doivent effectuer quelques mètres pour se rendre au « point d'eau » après le repas. Pour se reposer, une corbeille garnie d'un coussin ou d'un plaid fera l'affaire. Il se peut que votre nouveau compagnon choisisse de lui-même le coin où il veut dormir, les chats aiment surtout ce qui est moelleux...

Propreté et toilette

Le mieux est de prévoir tout de suite deux bacs à chat – et un de plus si vous adoptez deux chatons. Placez les bacs dans des coins tranquilles et faciles d'accès, loin du coin repas et des corbeilles. Les chatons ont une préférence pour les bacs à rebord bas (10 cm) ou disposant d'une entrée devant. Plus tard, vous les remplacerez par des modèles à rebord plus haut. Au début, utilisez la litière que l'animal a connue dans son premier foyer – cela facilitera son acclimatation. Les chats se chargent eux-mêmes en grande partie de leur toilette, mais, même pour un chat à poils courts, il est bon de prévoir des outils tels qu'un peigne et une brosse pour l'entretien du pelage. Pour les chats à poils longs, il vous faut en plus un démêloir afin de défaire les nœuds. Si, pour finir, vous ajoutez encore un jouet ou deux – petites balles, souris en tissu, sachets d'herbe à chat –, le trousseau du nouveau membre de la famille sera complet.

Bien répartir **les points d'eau**

PLACEMENT. Les chats boivent davantage quand leur écuelle d'eau n'est pas à côté du coin repas. Il est essentiel que les animaux boivent quand ils ne mangent que des aliments secs.

PLUSIEURS POINTS D'EAU. Répartissez les écuelles d'eau, par exemple sur différents appuis de fenêtres. Placez une écuelle à côté d'un pot d'herbe à chat, voilà un petit coin jardin.

BIEN COUCHÉ. Qu'il s'agisse d'un panier en osier ou d'une corbeille en mousse, les chats ont besoin d'un endroit protégé où se retirer pour dormir. Mais certains dédaignent leur corbeille et préfèrent se reposer sur l'armoire ou – si cela est permis – le lit de leur maître. Le jour, ils aiment s'installer dans des endroits où il y a quelque chose à voir, avant de somnoler à nouveau. Pensez à mettre des couvertures ou des coussins dans leurs endroits de prédilection.

CENTRE DE FITNESS. Sans arbre à chat, rien ne va ! Même pour les chats qui peuvent faire leurs griffes dehors sur de vrais arbres. Avec des ramifications à escalader, l'arbre devient le terrain de jeux idéal pour les tigres de salon. Pour le rendre encore plus intéressant, il faut y suspendre un jouet que l'on change : tantôt une souris en peluche, tantôt une petite balle qui tinte, ou laissez danser deux bouchons au bout d'un élastique.

UNE GAMELLE À SOI. Les chats mangent dans leur propre écuelle, pas dans des assiettes ni des bols ! Optez pour de la céramique ou de l'acier, le plastique se fendille et devient moins hygiénique.

Bienvenue au chaton – l'acclimatation

Rendez-vous disponible pour accueillir votre nouveau compagnon. Réservez un week-end, ou mieux, deux jours de plus. Ainsi, il pourra s'habituer à vous progressivement et assimiler les nouvelles impressions. Si vous allez le chercher vous-même en voiture, munissez-vous d'une cage de transport stable, étanche et facile à nettoyer. Cet accessoire fiable servira aussi plus tard pour les visites chez le vétérinaire. Outre les cages en plastique dur, il existe aussi des sacs souples qui remplissent toutes les exigences. Ils sont certes esthétiques et pratiques, mais pour les acheter, il vous faudra mettre la main à la poche : un tel modèle coûte de 80 à 90 €. Pour le voyage, l'idéal serait de vous faire accompagner d'une autre personne. Ainsi pendant que l'un conduit, l'autre peut parler au petit passager dans la cage de transport pour l'apaiser. La présence d'un objet de son ancienne maison – une couverture, un coussin, un jouet – le tranquillisera également. Pour prendre un bon départ, vous aurez préparé chez vous tout l'équipement du nouveau venu afin qu'il en prenne rapidement possession. Le coin repas avec les écuelles est déjà dans la cuisine, le bac dans une niche tranquille, la corbeille à l'abri des courants d'air. Si vous n'avez rien contre les visites dans votre lit, votre chambre à coucher est une bonne place. L'idéal est d'installer l'arbre à chat entre le coin repas et la couche (par exemple, dans l'entrée), et de telle façon qu'il offre une vue intéressante depuis les plateformes. Cela répond à deux attentes : après le réveil et avant le repas, le chat aime marquer son territoire avec ses griffes ; en outre, les postes d'observation sont ses coins de prédilection. Il apprécie aussi les cachettes en forme de cavité – offrez-lui plusieurs de ces coins pour son bien-être.

Restez sur le tapis et attendez patiemment : à un moment ou un autre, le chaton se montre curieux et va de lui-même vers sa maîtresse.

Aucun chat ne peut résister quand sa maîtresse l'invite à jouer par terre ou lui tend une friandise dans sa main.

Découvrir dans le calme. Dès qu'il est arrivé chez vous, fermez toutes les fenêtres et les portes qui donnent à l'extérieur avant d'ouvrir la cage de transport. Orientez celle-ci de telle sorte que le bac à litière se trouve juste dans son champ de vision – en général, il profite de l'occasion avec reconnaissance. Puis, laissez le chat découvrir son nouveau foyer. Gardez un œil sur lui, mais laissez-le tranquille autant que possible, et demandez aux autres membres de la famille d'être prévenants.

Une pièce de repli sûre. S'il y a de l'agitation chez vous et/ou si vous avez d'autres animaux, il est préférable de n'aménager d'abord qu'une pièce pour accueillir le chat. De là, il pourra conquérir petit à petit les autres pièces de la maison. Disposez-y la corbeille, le coin repas, le bol d'eau et le bac à chat, sans oublier de quoi s'affûter les griffes, au début, un griffoir bon marché en carton ondulé fera l'affaire.

Faciliter la mise en confiance

Pour un chaton qui a été séparé de sa mère et de ses frères et sœurs, comme pour un vieux chat transplanté dans un nouvel environnement, un maître peut aider à surmonter la peur de l'inconnu. Le mieux est de faire d'abord semblant de ne pas vous occuper de lui. Soyez simplement présent, parlez-lui gentiment, mais interrompez vite tout contact visuel par un clignement de paupières ou en tournant la tête. Les chats agissent de même quand ils s'assurent réciproquement de leurs intentions pacifiques. Faites rouler une petite balle ou faites serpenter un ruban, mais restez vraiment au ras du tapis, de manière à ce que vous soyez tous deux à hauteur d'yeux. Ne caressez l'animal que lorsqu'il a flairé votre main – le premier contact est alors noué et tout peut commencer.

Attention, **danger !**

CONTRÔLE DE SÉCURITÉ. Avant d'accueillir un chat, un contrôle de sécurité s'impose. Vérifiez toutes les cachettes. Fermez les hublots des appareils ménagers (machine à laver ou sèche-linge) et posez un couvercle sur chaque récipient. Vaporisez les fils électriques avec un répulsif pour empêcher qu'il les mordille. Placez les plantes d'intérieur toxiques hors d'atteinte (p. 40).

SOUS CLEF. Mettez sous clef médicaments, détergents et produits chimiques. Rangez aiguilles, fils, élastiques, papier d'aluminium et fils de laine (danger pour l'estomac et les intestins), mais aussi boutons et billes – bref, tout ce qui peut être avalé. Même les sacs en plastique sont dangereux – le chat peut s'étouffer avec.

Le tigre de salon et son territoire

Si le territoire de votre nouveau compagnon doit se limiter exclusivement à votre logement, vous serez débarrassé d'une foule de soucis, car un tigre de salon est exposé à beaucoup moins de dangers que ses congénères qui vont et viennent librement. Mais vous aurez un défi à relever : après tout, votre chat doit se sentir à l'aise entre vos quatre murs, il doit pouvoir laisser s'épanouir autant que possible ses préférences innées et trouver assez de stimulations pour son intelligence naturelle. À vous donc, de neutraliser le pire ennemi du chat d'appartement : l'ennui. Plus vous y réussirez, mieux la cohabitation se passera. Si vous avez adopté deux chats, cela peut vous être d'une grande aide, mais il faut encore veiller à quelques points.

Tout est à moi ! Un appartement bien aménagé peut faire d'un tigre de salon un propriétaire fier de son domaine.

Le chat est partout chez lui. Les tigres de salon veulent jouir de tout l'appartement. S'ils doivent être tenus à l'écart de certaines pièces comme la chambre, la porte doit rester close. De telles frontières sont en principe acceptées, mais elles sont peu nombreuses dans un logement aménagé pour un chat. En revanche, il y a beaucoup de possibilités de cachettes : dans des niches, derrière des rideaux, dans un carton vide. De telles cachettes mobiles ménagent des surprises de temps à autre. Si, en outre, vous installez des griffoirs à différents endroits (par exemple, des planches tendues de sisal), vous faites non seulement du bien à votre chat, mais aussi à vos meubles et tapis. Il est clair que les chats ne veulent pas rester uniquement au ras du sol. En disposant des coussins sur l'appui de fenêtre, des nacelles sur les radiateurs ou un tapis de sisal sur un rayon de bibliothèque, vous créerez des endroits attractifs pour votre chat. Proposez-lui également des aides à l'escalade, telles que des échelles ou une corde. De plus, si le balcon sécurisé devient un confortable centre aéré pour chat, Minet sera pleinement heureux. Assurez-vous d'abord que votre propriétaire vous autorise à mettre un filet de protection (en animalerie) pour faire une véranda fermée. Avec un arbre à chat, des tanières et une « forêt vierge » constituée de plantes telles que des bambous, de la phalangère, du papyrus, du thym et de la cataire (herbe à chat), elle deviendra un petit paradis pour chat.
Un territoire de rêve. Transposez-vous dans l'univers des chats. Ils aiment arpenter leur territoire et le contempler de différents points de vue – surtout d'en haut.

Défi sportif : de grosses cordes invitent à des exercices d'étirement et de préhension et aussi à gratter, grimper et tenir en équilibre. De telles cordes et un arbre à chat transforment même un petit logement en un véritable parcours de fitness.

Ils aiment se retirer, dormir et faire la sieste dans des cachettes sûres, guetter des proies et jouir de la compagnie d'autrui quand ça leur dit. Vous pouvez réaliser la plupart de leurs rêves. Et quand c'est impossible, comme pour l'affût et la chasse, il existe un substitut : le jeu ! Mais il faut d'abord écarter les dangers.

La sécurité avant tout. Même des objets du quotidien d'apparence inoffensive peuvent être une menace (p. 27, Conseil). Les petits chats, surtout, peuvent se blesser mortellement dans les fenêtres basculantes – prévoyez impérativement des protections (en magasin spécialisé). Des filets en métal ou en Nylon apposés sur les fenêtres ouvertes préviennent les chutes. Le balcon aussi doit être sécurisé par un filet.

Attention à la cuisinière ! Elle fait partie des lieux tabous. Dès que vous avez fini de cuisiner, rendez inaccessibles les plaques brûlantes en posant dessus une casserole d'eau froide.

Le savoir-vivre félin

Les chats ont leurs propres règles relationnelles, ce qui leur épargne beaucoup de stress. Votre nouveau compagnon prendra vite confiance et se sentira mieux compris si vous aussi respectez ces règles.

À faire

- Dites-lui « bonjour » lorsque vous vous croisez. Les chats amis se saluent avec un roucoulement. De vous, ils accepteront aussi « mourr » ou leur nom.
- Avant de caresser, tendez votre main à flairer. La « reconnaissance olfactive » est de bon ton chez les chats.
- Les repas et les parties de jeux doivent devenir des rituels qui ont toujours lieu à heure fixe. Un emploi du temps réglé et réjouissant procure un sentiment de sécurité.
- Clignez les paupières lorsque vous regardez votre chat. Entre chats, cela équivaut à sourire et dire : « Je ne veux pas te déranger. »

À éviter

- Ne saisissez pas brutalement votre chat simplement pour le prendre sur votre bras. Les prises qui viennent d'en haut l'effraient, l'animal se prend pour une « proie ». Mieux : parlez-lui et soulevez-le en glissant une main sous son poitrail et l'autre sous son arrière-train.
- Renoncez aux rénovations et déplacements de meubles tant que le chat ne se sent pas en parfaite sécurité chez vous. Et même après, agissez avec égards !
- Évitez le bruit et l'agitation : chez les chats, on s'agite et on fait du bruit seulement dans les situations de stress.
- Ne dérangez pas votre chat pendant son sommeil ou ses repas.

Bienvenue dans la communauté animale

S'il y a déjà des animaux dans la famille, vous devrez faire appel à votre talent de conciliateur, votre patience et votre résistance nerveuse. Moins vous forcerez les choses, mieux cela se passera.

Chat et chat. Placez le nouvel arrivant dans la pièce d'accueil (p. 27) et comblez votre premier chat de marques d'attention. Ensuite, permettez au « nouveau » d'explorer la maison, pendant que vous et votre vieux chat inspectez la pièce d'accueil. Là, offrez-lui quelques friandises pour créer un lien positif avec l'odeur du nouveau. Avant la première rencontre, frictionnez-les l'un et l'autre avec un pull-over que vous avez porté. Votre odeur leur dit : « Nous sommes du même clan. » Cela adoucit les choses. Félicitez votre premier chat s'il se comporte pacifiquement. Ensuite, donnez-leur à manger dans des écuelles placées l'une en face de l'autre. Ce sera génial si tout marche du premier coup, mais ne soyez pas découragé si vous devez répéter le rituel assez souvent.

Chat et chien. Ici aussi, la pièce qui sert d'accueil et de repli s'avère efficace. Lors des premières rencontres, le chien doit être tenu en laisse et le chat doit pouvoir battre en retraite rapidement. Concentrez-vous sur le chien et récompensez-le s'il ignore le chat. Donnez-leur à manger dans la même pièce, à des emplacements séparés, dès qu'ils se tolèrent à peu près. Ne permettez jamais au chien de courser le chat, mais félicitez-le et récompensez-le s'il s'approche avec précaution du nouveau colocataire.

Chat et petits animaux. Le « territoire du chat » doit s'arrêter là où lapins nains, rongeurs et oiseaux doivent vivre en toute quiétude. On peut, sous conditions, familiariser des chats avec des grands lapins (p. 18-19). Mais ne les laissez jamais seuls ensemble !

Une tendre relation peut naître entre « pattes de velours » et « longues oreilles ». Mais l'Homme doit garder un œil sur eux lorsqu'ils se rapprochent l'un de l'autre.

En pleine santé

Des études le prouvent : les propriétaires de chats sont moralement plus équilibrés et plus sains. Les chats font du bien à la santé ! En contrepartie, vous pouvez faire plein de choses pour que votre chat ait une vie longue, saine et heureuse.

Des chats en bonne santé

Les chats échangent beaucoup avec nous, ainsi qu'avec leurs semblables. Mais ils restent quasiment « muets » sur leurs maladies. Ce tabou est un héritage de leur parenté sauvage : ne pas montrer ses faiblesses pour ne pas attirer d'éventuels ennemis ! La possibilité de solliciter l'assistance d'un congénère leur est inconnue. Le « maître » doit être d'autant plus vigilant. Par chance, l'Homme, en tant que responsable de la santé de son animal, peut largement contribuer à ce qu'il reste en bonne forme et jouisse de la vie jusqu'à un âge avancé. C'est pourquoi vous devez impérativement veiller à lui apporter une alimentation équilibrée (p. 34-36). Elle donne de l'énergie au chat et fournit à l'ensemble de l'organisme les nutriments vitaux nécessaires pour qu'il ait des muscles souples, des os solides, une peau saine, un système immunitaire performant et un bon transit. De plus, cela ne demande pas beaucoup de travail de servir à Minet des repas équilibrés et sains.

Mieux vaut prévenir...

Les chats sont propres par nature et passent chaque jour trois bonnes heures à se toiletter. Complétez cela par une bonne hygiène (p. 37-38), vous protégerez ainsi votre chat contre de nombreux risques de maladies. Contrôlez aussi régulièrement l'état de santé de votre animal. Pour repousser infections et parasites ou traiter les autres troubles de santé, l'assistance d'un vétérinaire compétent est indispensable. De plus, les rappels de vaccins relèvent de ses attributions. Même les chats en bonne santé doivent subir un examen général une fois par an. Si votre petit héros proteste contre la visite médicale, répétez-vous mieux vaut prévenir que guérir !

Une alimentation adaptée

Par nature, les chats sont des carnivores, mais ils ne vivent pas seulement de viande. La proie est plutôt un « aliment complet » naturel, car ils en mangent aussi les parties indigestes telles que les poils, la peau, les os et le contenu des viscères. Constitué de végétaux prédigérés, principalement des céréales, celui-ci fournit ainsi le complément végétal indispensable. Outre les protéines, les lipides, les vitamines, minéraux et oligo-éléments, le chat ingère aussi des fibres avec sa proie, et tous ces éléments nutritifs sont dans des proportions équilibrées. Les chats d'appartement, qui ne mangent plus de proies, ne doivent pas renoncer pour autant à une alimentation exemplaire.

Les aliments tout prêts du commerce. La nourriture industrielle de qualité reproduit le principe de la proie et est à conseiller comme base de l'alimentation. Elle comble les besoins des chats – comme celui en aminoacides et acides gras – et contient toutes les substances nutritives et vitales en juste quantité. Cela vaut aussi bien pour les aliments secs que pour les aliments humides. Que doit donc manger votre tigre ?

Aliments humides ou aliments secs ? Les croquettes ont des avantages. Elles ne s'altèrent pas dans l'écuelle, sont faciles à manipuler, et certaines peuvent favoriser le détartrage des dents. Elles doivent cependant être données avec prudence : les aliments humides contiennent jusqu'à 80 % d'eau, alors que les croquettes hautement concentrées ont un taux d'humidité inférieur à 15 %. Pour éviter les problèmes de reins ou de vessie, le chat doit compenser le déficit hydrique en buvant : pour une écuelle de croquettes, il doit laper trois écuelles d'eau. Mais les chats boivent peu. Mieux vaut donc donner au moins 2/3 de la ration journalière en aliments humides et 1/3 en aliments secs – et répartir plusieurs

Un repas appétissant est le plus beau moment de la journée pour tous les chats gourmands. Pour l'atteindre, certains se haussent littéralement sur les pattes de derrière.

La proie que le chat peut capturer à l'occasion ne représente plus, dans les conditions de vie actuelles, qu'un en-cas entre les repas.

Attention à **la ligne !**

L'ALIMENTATION JUNIOR est parfaite pour les chatons, mais elle a beaucoup trop de calories pour les plus grands. Habituez peu à peu votre chat à la nourriture pour adulte dès 8 mois.
LES FRIANDISES POUR CHATS sont surtout composées de céréales. Aussi ne les donnez qu'avec parcimonie ! Les nombreux glucides ne sont pas assimilés, mais transformés en graisse : le chat devient obèse et a faim quand même.
LA NOURRITURE HUMAINE peut tenter certains chats. Donner à l'occasion un petit bout de viande, une bouchée de pâté de foie, c'est bien, mais gâteaux, biscuits et sucreries sont à proscrire. L'équivalent de deux morceaux de sucre provoque une prise de poids de 5 g.

écuelles d'eau sur leur « territoire ». À propos : l'eau est la boisson la mieux adaptée aux chats ! Le lait, qui contient du lactose, est souvent mal toléré et aussi trop nourrissant.

Reconnaître la nourriture haut de gamme. Au rayon alimentation, le choix est vaste ! Pour chatons, pour adultes et seniors, pour actifs et paresseux... Tous les paquets promettent un contenu sain et délicieux, mais vous ne reconnaîtrez une nourriture haut de gamme qu'en lisant l'étiquetage :

› La nourriture haut de gamme est désignée comme « aliments complets pour chats », les « aliments complémentaires » ne couvrent pas les mêmes besoins.

› À la rubrique « composition », les ingrédients sont classés selon la part qu'ils représentent sur la quantité globale. Le premier a la part la plus élevée. Si c'est du poisson et que son pourcentage est très élevé, il s'agit d'une nourriture haut de gamme. Les autres ingrédients doivent aussi être listés séparément et ne pas se cacher derrière des mentions telles que « sous-produits animaux » ou même « sous-produits végétaux et animaux ». Prudence avec les croquettes : si la viande est indiquée en premier avec un fort pourcentage, il se rapporte uniquement à la masse humide de l'aliment – la part de protéines par rapport à la matière sèche est alors bien inférieure. En revanche, si au lieu de « poulet » ou « viande de poulet » vous trouvez des mentions telles que « farine de viande de poulet » ou « poulet déshydraté », vous pouvez vous fier au pourcentage, qui doit être aussi le plus élevé possible. Les composants végétaux (céréales) font aussi partie d'une nourriture équilibrée, mais leur part dans l'aliment humide ne doit pas excéder 10 %.

La verdure qui est à portée de Minet doit être inoffensive, comme, par exemple, les bambous et le papyrus.

Dans les croquettes, elle est plus élevée pour des raisons techniques. Cependant les croquettes avec une part de céréales prépondérante ne sont pas appropriées pour la nourriture quotidienne, parce que le métabolisme du chat ne peut pas bien les transformer.

› Dans les aliments haut de gamme, les conservateurs chimiques sont remplacés par des antioxydants naturels tels que les vitamines C et E qui protègent du rancissement. Il n'y a ni colorants ni arômes ; le sucre et le caramel peuvent gâter les dents.

› La ration recommandée s'applique en principe à un chat adulte pesant de 3 à 4 kg et s'élève à 150-400 g de nourriture humide, répartie sur deux repas. Les aliments secs (40-80 g) peuvent être laissés en libre-service. À retenir : plus la ration recommandée est faible, plus la nourriture est haut de gamme et saine.

... et parfois de la nourriture maison

Donnez de la viande maigre de veau et d'agneau, du cœur, de la volaille et du poisson, le tout cuit à l'eau ou à la vapeur et servi sans os ni arêtes. Ajoutez-y une petite portion de flocons d'avoine, de riz, d'orge ou de pâtes, et un tout petit peu de légumes. Évitez le chou, le poireau, les oignons et les légumes secs. Ils donnent des ballonnements. Les oignons provoquent en outre de l'anémie. Salez très peu (de 1/5 à 1/3 de notre ration de sel quotidienne). Si vous nourrissez votre chat essentiellement avec de la pâtée maison, il se peut qu'il lui faille un complément vitaminé ou minéral. Renseignez-vous auprès d'un vétérinaire. Ne faites pas d'expériences : une insuffisance ou un excès peuvent être dangereux pour sa santé.

Cru ou cuit ? Les chats ne font pas cuire les souris, mais en consommant des rongeurs, ils attrapent aussi souvent des vers et autres parasites. Même la viande crue du commerce peut contenir des agents pathogènes ; celle de porc transmet le virus d'Aujeski qui tue chiens et chats. Aussi les viandes doivent-elles toujours être données cuites. Depuis peu, l'on entend assez souvent parler de « Barf » (*Bones and Row Food,* « Os et alimentation crue »). Elle se compose de viande crue de premier choix, mais aussi d'os crus et de compléments.
Ce type d'alimentation semble convenir à beaucoup de chats, mais il exige une initiation sérieuse, un soin attentif et une certaine dépense de temps et d'argent. Vous trouverez des informations à ce sujet sur Internet.

Les petits extras. Vous pouvez donner de temps à autre une pointe de beurre, émietter un jaune d'œuf dur sur la nourriture (graisses et vitamines précieuses !) ou servir une portion de yaourt ou de fromage blanc – bons pour la flore intestinale.

Une hygiène parfaite

Un pelage soigneusement lissé protège des intempéries et des blessures, repousse la saleté et empêche les parasites de s'y fixer. Quoi d'étonnant à ce que les chats passent plus de trois heures par jour à leur toilette ? Aidez votre animal ! Ainsi vous garderez un œil sur sa condition physique et sa forme, et remarquerez rapidement ce qui ne va pas. Lorsque le chat est habitué dès le début à ces séances de toilettage, il apprécie cette attention, mais il faudra le persuader s'il n'aime pas être bousculé. Avec des paroles gentilles, des félicitations et une friandise à la fin de la séance, la plupart des chats se laissent convaincre.

L'entretien du pelage. Les chats à poils courts doivent être peignés avec douceur, de la tête à la queue, une ou deux fois par semaine, et plus souvent en période de mue au printemps et en automne. Pour les chats au pelage ultracourt comme le Siamois et le Burmese, il suffit de passer une peau de chamois humide sur leur corps. De nombreux chats que le brossage n'enthousiasme pas acceptent un massage avec un gant à picots (en animalerie). Les poils que votre chat n'aura pas enlevé lui-même ne seront ainsi pas ingérés et ne s'agglutineront pas dans l'estomac. Pour les chats à poils longs et mi-longs, mieux vaut peigner et brosser la robe chaque jour – sinon le pelage feutre rapidement. Néanmoins, il peut y avoir un nœud. Défaites-le avec le peigne, dans les cas difficiles utilisez le démêloir.

Le contrôle des tiques. Il est primordial de contrôler chaque jour les chats qui vivent en liberté en les palpant, car ils peuvent récolter des tiques, surtout au printemps et en automne. Ces insectes inoculent des infections graves. L'idéal est de les éliminer avant qu'elles ne se fixent. Retirez-les aussi vite que possible avec une pince à tiques. Dans certaines régions, la prévention grâce à des préparations spéciales pour chats est une sage mesure. Demandez à votre vétérinaire !

Les yeux et les oreilles. Il faut enlever les dépôts qui se forment au coin de l'œil avec une lingette nettoyante (en animalerie) ou un tampon humide. Nettoyez à l'occasion les oreilles de la même façon car certains chats ont tendance à avoir un dépôt brun dans les oreilles. Votre vétérinaire vous prescrira un produit afin d'éviter les otites. Les cotons-tiges sont à proscrire – risque de blessure ! En cas de mauvaise odeur, et si le chat secoue ou penche la tête, pensez à la gale. Consultez votre vétérinaire.

« Aide-moi à me laver... » : chez les chats qui s'entendent bien, il est d'usage de se laver mutuellement, et même avec dévouement.

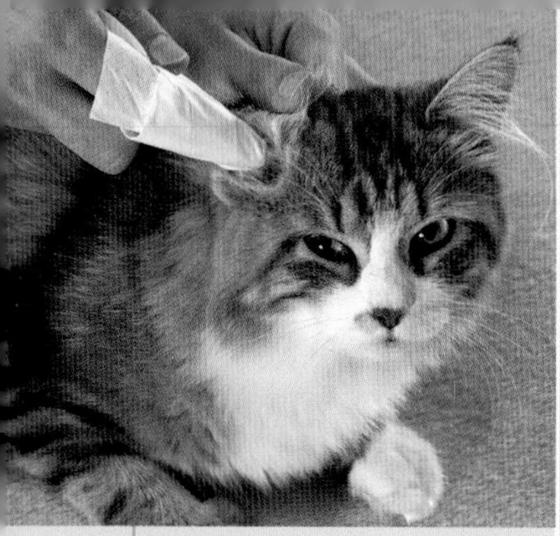

1 OREILLES. Elles doivent être propres. Les impuretés sur la lingette peuvent indiquer une invasion d'acariens. Un cas pour le vétérinaire !

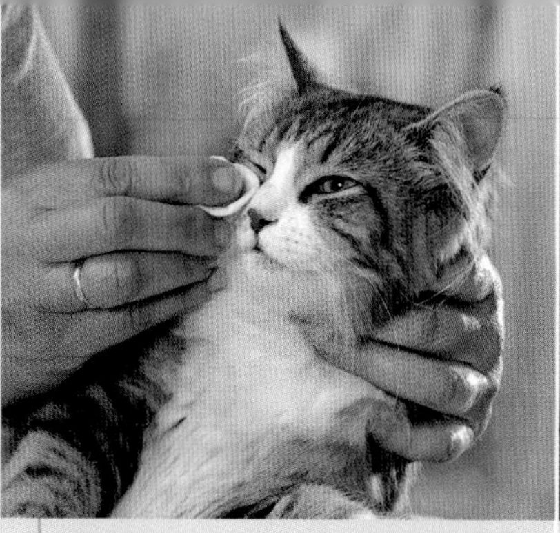

2 YEUX. Les chats d'un certain âge ont souvent des dépôts agglutinés au coin de l'œil. Mais ceux-ci s'enlèvent très facilement à l'aide d'une lingette nettoyante.

3 PELAGE. Éliminez doucement les poils morts avec la brosse – ainsi, ils ne formeront pas d'agglomérats dans l'estomac du chat.

Les griffes. Le chat prend soin tout seul de ses griffes en les affûtant sur l'arbre à chat et en rongeant la couche cornée usée. Il est nécessaire de les raccourcir uniquement si elles sont trop longues ou si elles entravent la démarche. Le mieux est de laisser ce soin au vétérinaire.

Les dents. Contrôlez régulièrement la bouche de votre chat. Des dépôts jaunes ou une mauvaise haleine révèlent la présence de tartre, que le vétérinaire devra enlever. Prévention : nettoyez les dents avec une brosse spéciale et du dentifrice. Donnez des croquettes, des morceaux de viande un peu fermes à croquer et des friandises conçues pour l'entretien des dents.

Un environnement propre

Votre chat a aussi besoin d'un environnement propre pour se sentir bien. Un tel milieu rendra la tâche rude aux parasites et aux agents pathogènes !

Le coin repas. Une fois par jour, essuyez le coin-repas avec une éponge humide et enlevez les restes de nourriture passés par-dessus bord. Nettoyez les écuelles avant chaque repas et rincez-les à l'eau bouillante. Une fois par jour, rincez à l'eau bouillante l'écuelle d'aliments secs et séchez-la, même si les croquettes restent en libre-service.

La litière. Étalez la litière sur 5 cm d'épaisseur et enlevez chaque jour les parties humides. Avec une litière d'argile, c'est très facile. Retirez les crottes avec une petite pelle dès que possible. Au moins une fois par semaine, rincez le bac à l'eau très chaude et lavez-le avec un produit vaisselle doux. En cas d'invasion de vers, désinfectez le bac avec un produit spécial (en animalerie).

Luttez contre les parasites ! Même le chat le plus propre peut attraper des puces. Le vétérinaire dispose de produits très efficaces. Vaporisez un spray antipuces sur les canapés et les rideaux jusqu'à 1 m de haut. Mettez de la poudre antipuces dans le sac de votre aspirateur et aspirez souvent les sols, tapis et meubles capitonnés pour éliminer leurs œufs. Lavez régulièrement les coussins et les couvertures de votre chat ! Sachez que les coussins ou les housses fraîchement lavés ne sont pas seulement hygiéniques : les chats adorent se coucher sur du linge frais !

Prévenir et soigner

Aucun chat ne peut se passer du vétérinaire, bien que les matous détestent les odeurs, les autres animaux dans la salle d'attente et la table d'examen ! Notre petit compagnon n'apprécie pas les visites médicales mais elles sont indispensables pour les rappels de vaccins, le contrôle des naissances (p. 13), les déparasitages et lorsque l'animal présente des symptômes de maladies ou qu'il est blessé. Et aussi quand il doit obtenir un passeport européen et se faire implanter une puce électronique (p. 52).
Les visites à domicile du vétérinaire sont limitées aux cas d'urgence : un chat sensible peut être bouleversé qu'on vienne le harceler jusque sur propre territoire. Parce qu'il vaut mieux prévenir que guérir, même un chat en parfaite santé doit aller au moins une fois par an chez le vétérinaire pour un examen général : auscultation, écoute du cœur et des poumons, contrôle des yeux, des oreilles et des dents. Éventuellement, le praticien peut prescrire un déparasitage préventif. C'est important même pour les chats d'appartement, car nous véhiculons des œufs de vers sous nos chaussures. Le problème, lors de ces visites, est que beaucoup de chats font un véritable cirque pour s'installer sur la table d'examen et que certains jouent même les tigres furieux. D'où l'importance de garder votre calme et de trouver un vétérinaire qui sache s'y prendre avec les patients rétifs et fasse preuve de compréhension.

Un docteur pour le chat

Cherchez un vétérinaire près de chez vous afin d'épargner de longs trajets à votre animal, mais sa compétence est plus importante que la proximité géographique. Vous trouverez des conseils auprès d'amis des chats, d'associations de protection animale, d'éleveurs et aussi sur Internet. Mais au final, c'est votre impression qui sera déterminante. Lors de votre première visite au cabinet, vous saurez si vous avez trouvé le bon docteur pour votre chat.

Vous devez déjà bien « maîtriser » votre chat pour pouvoir prendre seul sa température. À deux, cela se passe souvent mieux.

Attention, **poison !**

LES CONSEILS
DE L'EXPERTE
Brigitte Eilert-Overbeck

Les empoisonnements sont les urgences les plus fréquentes. Le danger ne guette pas seulement dehors, mais aussi dans votre maison (p. 27).

PLANTES D'INTÉRIEUR. Parmi les plus toxiques, citons : le *Dieffenbachia,* le *Spatiphyllum,* le *Monstera* et le *Poinsettia.* Également : les aracées (par exemple le calla), l'aloès, le cyclamen, l'amaryllis, l'avocat, l'azalée, le philodendron, le rhododendron, la rose de Noël, l'épine du Christ, le lierre, quelques variétés de fougères et de ficus, l'hortensia, le pommier d'amour, le laurier-cerise, le laurier-rose, la primevère, la violette, l'euphorbe, la rose du désert, le yucca.

BOUQUETS DE FLEURS DOUTEUX : nivéoles, chrysanthèmes, lys, muguet, narcisses, œillets, perce-neige, tulipes sont toxiques ainsi que le buis, la gypsophile, l'asparagus et le spray brillant.

LES DANGERS DE LA CUISINE : Avocats, haricots (crus), fanes et germes de pommes de terre, épinards (crus), raisins (frais et secs), oignons et chocolat doivent toujours être hors d'atteinte.

Veillez aux points suivants :

› le cabinet est bien organisé, personne n'a l'air débordé. Votre chat est tout de suite inscrit sur le fichier des patients ;

› le vétérinaire parle aussi à votre chat tout en le soignant sur la table d'examen ;

› il reste calme et maître de lui, même si le patient essaie de s'opposer aux soins ;

› lors de l'examen et des soins, lui et ses assistants n'ont pas besoin d'employer la force ;

› il prend le temps de tout vous expliquer et répond à vos questions sans utiliser de jargon technique ;

› dans les cas d'urgence, il est prêt à venir à domicile et il est joignable en dehors des heures de consultations ;

› vous le trouvez sympathique et digne de confiance.

Du calme. La plupart des chats sont pris de panique surtout parce qu'ils perçoivent la nervosité de leur maître. Vous épargnerez à votre chat (et finalement aussi à vous-même) beaucoup de stress en restant détendu et en organisant tout très calmement. Préparez la cage de transport un ou deux jours avant le rendez-vous. Notez vos questions et les observations que vous souhaitez communiquer au vétérinaire. Le jour J, fermez discrètement les portes de sortie et les cachettes habituelles, prenez votre chat calmement mais résolument sur le bras et placez-le dans la cage. Encouragez-le durant le trajet jusqu'au cabinet vétérinaire et dans la salle d'attente. Accompagnez-le à la salle d'examen. De retour à la maison, rien ne vous empêche de lui offrir une récompense particulière, même si votre chat semble d'abord la dédaigner.

Guérir rapidement

Respectez le besoin de repos de votre chat quand il ne se sent pas bien, mais surveillez-le. Plus d'un animal, qui ne veut ni manger ni boire, retrouve l'appétit grâce à un bouillon de viande. Une petite portion de purée de pommes de terre (sans lait) ajoutée à la nourriture peut aider en cas de diarrhée. En cas de constipation, arrêtez d'abord les aliments secs. Proposez des sardines à l'huile ou ajoutez à la pâtée 1/2 cuillerée à café d'huile de paraffine. Si le problème persiste, consultez le vétérinaire.

Un travail de détective. En l'absence d'amélioration après deux jours, le vétérinaire devra rechercher l'origine du mal. Notez vos observations et, le cas échéant, apportez-lui des échantillons de selles ou de vomissures. Tout changement de comportement, une soif excessive, une perte ou une prise de poids spectaculaire et des anomalies du pelage et de la peau doivent aussi vous pousser à consulter. Faites-le sans perdre de temps.

Des yeux clairs, un regard curieux et des oreilles pointées vers l'avant, c'est ainsi qu'un chat en parfaite santé regarde le monde. Et peut-être a-t-il aussi déjà repéré une petite proie.

La petite **pharmacie du chat**

Pour faire face aux urgences, il est bon d'avoir une petite pharmacie pour le chat. L'idéal est de lui trouver une place dans un petit placard séparé et d'y mettre ce qui suit :

INFORMATIONS. Un aide-mémoire avec les numéros de téléphone les plus importants : vétérinaire, urgences vétérinaires, taxi acceptant les animaux, pompiers, centre antipoison.

DOCUMENTS. Carnet de santé, passeport européen, papiers fournis par l'éleveur.

INSTRUMENTS. Pincette et paire de ciseaux (les deux à bouts ronds), pince à tiques, thermomètre (digital ou pour bébé), vaseline (pour lubrifier le thermomètre).

PANSEMENTS. Bandes de gaze, bandes stériles, compresses, coton, sparadraps.

TRAITEMENT DES BLESSURES. Un produit désinfectant et une pommade médicinale et cicatrisante tolérés par le chat.

SERINGUES. Des seringues jetables (sans aiguille) pour administrer les remèdes liquides ou la nourriture en cas de grosse faiblesse.

CONTRE LES PARASITES. Éventuellement un produit antipuces et un vermifuge (du vétérinaire).

MÉDICAMENTS. Uniquement ceux prescrits par le vétérinaire.

MÉDECINE DOUCE. Des gouttes de « Rescue » (fleurs de Bach) sans alcool pour apaiser le stress.

DIVERS. Un aspivenin (en cas de piqûre d'abeille ou de guêpe à la patte), des petits sacs en plastique pour protéger les bandages aux pattes, des gants jetables.

Attention, urgence ! Courez chez le vétérinaire en cas de blessures accidentelles, de vomissements ou de diarrhées sanguinolentes ou glaireuses (apportez des prélèvements !), de constipation avec ventre dur, de troubles respiratoires et de spasmes, ou lorsque le chat ne peut uriner. Assurez-vous qu'il soit traité au plus vite.
Les soins. Faites-vous expliquer par le vétérinaire comment vous devez prendre soin de votre protégé. Si le chat est contagieux, mieux vaut l'isoler des autres animaux. Placez eau, nourriture et litière près de son panier. Le calme, la chaleur et un endroit propre ainsi que votre voix réconfortante favoriseront la guérison.

Repousser les maladies infectieuses

Il existe aujourd'hui des vaccins efficaces et tolérés contre les infections félines les plus dangereuses.
Le typhus et le coryza du chat. Ces deux maladies menacent même les chats d'appartement qui n'ont pas de contact avec leurs semblables. Le vaccin immunise efficacement. Planifiez la fréquence des rappels avec votre vétérinaire.
La leucose. L'incurable leucose du chat est due au virus FeLV. Elle se transmet d'un animal à l'autre. C'est la raison pour laquelle il faut avant tout vacciner les chats qui sont en contact avec des congénères. Fixez les rappels avec le vétérinaire.
La rage. Cette infection virale mortelle se transmet par la salive des animaux infectés (par exemple des rongeurs), seul le vaccin offre une protection. Il est impératif pour les chats qui sortent librement ; les chats d'appartement doivent être vaccinés contre la rage pour voyager à l'étranger. Les vaccins contre la PIF (péritonite infectieuse féline) et le FIV (ou Sida du chat) sont controversés. Pesez les avantages et les risques avec votre vétérinaire.

La médecine douce, complément au vétérinaire

Tous les chats vont chez le vétérinaire pour les indispensables vaccins (p. 39-42). Mais il se peut bien que votre tigre maison fasse aussi connaissance avec la « médecine douce » au cabinet de consultation. Beaucoup de vétérinaires sont formés à l'homéopathie, d'autres collaborent avec des praticiens de santé et des thérapeutes. Bien que le mode d'action de ces méthodes ne soit pas prouvé scientifiquement, la médecine alternative enregistre toujours plus de succès tant chez l'homme que chez l'animal. Elle ne concurrence pas la médecine officielle, mais est un « plus » pour nos animaux. À condition que le thérapeute s'y connaisse en chats.

› Les remèdes naturels et homéopathiques s'utilisent pour soulager des maux comme l'eczéma, les allergies, les refroidissements ou la bronchite, mais aussi en cas de faiblesse ou de manque d'énergie.

› La thérapie des fleurs de Bach agit avant tout sur le psychisme et fait disparaître en même temps les troubles organiques. Chez les chats, elle est souvent indiquée lorsque les animaux voient leur équilibre malmené, mais aussi dans les cas d'anxiété, d'agressivité et de faiblesse générale. Les célèbres « gouttes d'urgence » (Rescue) apaisent manifestement des chats très excités.

› L'acupuncture rétablit la circulation de l'énergie dans le corps. Elle donne de bons résultats dans le traitement de la douleur, les inflammations, l'arthrose, les blessures des tendons et la déficience immunitaire.

Le toucher thérapeutique

Qu'il est doux de caresser ! Mais avec vos mains, vous pouvez faire encore plus de bien à votre petit protégé. Pour apprendre une des méthodes de toucher suivantes, trouvez des adresses dans la presse spécialisée ou sur Internet.

Acupression, shiatzu. Cette méthode s'apparente à l'acupuncture, mais au lieu des aiguilles et du laser, elle utilise la pression des doigts. Elle active, en appuyant sur des points requis, la ligne énergétique du corps, ce qui libère les tensions et favorise la circulation sanguine.

TTouch. C'est la thérapeute Linda Tellington Jones qui a développé cette méthode de toucher des animaux. Des mouvements circulaires du bout des doigts massent le chat avec douceur et libèrent le stress, la peur et l'agressivité.

Reiki. Ce mode d'imposition des mains est censé transmettre l'énergie vitale du donneur au receveur.

Quel bonheur que d'être caressé avec douceur par des mains tendres ! Et cela aide à guérir.

Bien vivre ensemble

Qui comprend son partenaire n'aura aucun mal à entretenir de bonnes relations avec son chat. Pas de souci : nos matous ne sont pas aussi impénétrables qu'ils en ont l'air à première vue. Ce sont en réalité de grands communicants.

De bonnes relations, ça s’entretient

L’Homme et le chat ne parlent pas le même langage, mais la compréhension ne doit pas être un obstacle : rien n’échappe aux chats dans l’intonation et la gestuelle des êtres humains. Ils ont, pour capter nos humeurs, des antennes extrêmement sensibles. Parallèlement, nous pouvons aussi apprendre le « langage » des chats. Ils communiquent avec des sons, des attitudes corporelles et des comportements particuliers (p. 46-47). Ces êtres que l’on prétend si mystérieux font savoir clairement à leur entourage dans quelles dispositions ils se trouvent (p. 48-49).

Des petits rois avec un talent de diplomate

Nous ne pouvons en vouloir à nos mini-tigres, cousins du « roi des animaux », d’être des souverains-nés. Il va de soi qu’ils règnent ainsi en maîtres sur leur territoire-logement. Mais n’ayez crainte, ils sont tout à fait prêts à s’arranger avec nous. Même ceux qui sont sortis de l’enfance depuis longtemps peuvent encore être éduqués (p. 50-51), à condition que nous n’exigions pas d’eux une obéissance aveugle. Gardez toujours à l’esprit que les chats ont aussi le talent d’éduquer les hommes.
Il faut bien sûr davantage pour former une bonne association : par exemple, accorder à l’autre suffisamment d’espace. Cela ne signifie pas que le chat doive forcément sortir, mais que l’on accepte en tout cas qu’il soit un être à part entière, avec des besoins propres. Entretenir les relations, cela veut dire aussi passer du temps à faire des activités en commun (p. 54-55). Et si votre chat peut toujours compter sur vous, il vous rendra la pareille, avec beaucoup d’amour.

Savoir comprendre le chat

Les chats « parlent » avec leurs congénères, mais ils s'adressent aussi à nous, les bipèdes, et attendent que nous les comprenions.

Le langage vocal. Il est étendu.

› Le « miaou » remonte à l'enfance du chat. Un chaton dit ainsi à sa mère : « Il me manque quelque chose ! » Le miaulement de votre tigre de salon exprime une demande analogue. Les chats adultes n'utilisent pas ce son entre eux.

« Tu me fais ma toilette, s'il te plaît ? » Avec un tendre frottement de tête, le petit gaillard invite sa mère à lui lécher le pelage.

› Le roucoulement, un doux murmure : les chats l'utilisent pour « converser », même avec nous. Répondez quelque chose de gentil !

› Le feulement ou le crachement : réaction de défense et bluff. Le chat veut seulement que son adversaire potentiel décampe. Souvent cela réussit, car ce son évoque le sifflement d'un serpent et avertit ainsi tous les mammifères du danger. Les mères-chattes feulent après leurs petits pour les éloigner des zones dangereuses. Vous pouvez en tirer profit lors de l'éducation (p. 50-51).

› Le grondement : menace d'attaque. L'animal est prêt à passer à l'action. Mais les chats grondent aussi lorsqu'ils s'approchent furtivement d'une proie ou rongent des morceaux de nourriture.

› Le ronronnement fait du bien et encourage. C'est pourquoi certains chats ronronnent alors même qu'ils sont anxieux ou malades. Mais la plupart du temps le ronronnement exprime un bien-être. Parfois le chat l'utilise aussi pour apaiser : « Je ne te ferai rien, s'il te plaît, ne me fais rien non plus ! »

Le langage corporel. Les chats envoient des messages clairs grâce aussi à leurs postures.

› Le corps étiré et les pattes relevées : « Je suis dans mon élément et me sens en sécurité ».

› Une posture ramassée : « Je ne suis pas rassuré ».

› S'accroupir en pliant les pattes et en baissant la tête : « Je te préviens, si tu fais un pas de plus, je me défends ».

› Le regard fixe : « Tu veux une raclée ? »
› La tête tendue vers l'avant : « Visiteur intéressant ! Nous devrions nous renifler de plus près ».
› La tête basse : « Je ne veux provoquer personne – ni me laisser provoquer ».
› La position du « manchon », avec les pattes et la queue rentrées : « Prière de ne pas déranger ».
› La queue dressée : « Content de te voir ». Ou : « Suis-moi, je vais te montrer quelque chose ».

Que veut dire le chat quand...

› Il se roule sur le côté ou sur le dos ? Il est d'humeur joueuse et veut vous entraîner.
› Il frotte sa tête contre vous ou vous donne un coup de tête ? Par un petit frottement de tête, les chats réclament un soin du pelage ou des caresses. Le coup de tête est un geste de salut amical.
› Il se frotte à vos jambes ou frotte ses joues et ses flancs contre vous ? Il vous marque de son odeur : « Tu es à moi ! »
› Il vous pétrit avec ses pattes avant ? C'est une déclaration d'amour : « Près de toi, je me sens comme un bébé chat auprès de sa mère. »
› Il lève une patte ? « Arrête ! ou j'attaque ! »
› Il bâille abondamment ? Il s'agit d'un geste d'apaisement : « Je garde mon calme, garde le tien ! »
› Il hérisse son poil et fait le gros dos ? C'est une réaction de défense devant un adversaire qu'il craint. C'est pourquoi il paraît plus « grand ».
› Seuls les poils du dos et de la queue se hérissent ? Espérons que cette menace d'attaque ne s'adresse pas à vous – c'est celle d'un chat sûr de lui.
› Après une réprimande, il regarde partout, sauf dans votre direction ? Non pas « fiche-moi la paix ! » mais « je ne veux pas te provoquer davantage ».

L'apprentissage **du nom**

LES CONSEILS DE L'EXPERTE
Brigitte Eilert-Overbeck

Presque tous les chats apprennent à répondre quand on les appelle. Rendez l'apprentissage attrayant pour votre tigre de salon en associant son nom à des sensations positives pour lui.

IL NE DOIT lui arriver que du bien quand vous l'appelez par son nom. Utilisez-le pour le caresser, le câliner, lui donner sa nourriture ou jouer avec lui. Jamais quand vous êtes en colère, pour lui interdire quelque chose ou le gronder.

RÉCOMPENSEZ votre chat quand il répond à votre appel. Au début de l'apprentissage, avec des friandises, plus tard, avec seulement des caresses.

UN MOT de deux syllabes est parfait pour un nom de chat. Ceux d'une syllabe sonnent comme des ordres, les noms plus longs sont de toute façon abrégés. Les noms eux-mêmes doivent avoir une sonorité agréable.

PEU DE CHATS se précipitent quand on les appelle. Ne montrez pas votre impatience par votre ton pour ne pas perturber le lien positif.

Comment les chats expriment-ils leurs humeurs ?

Le chat exprime ses humeurs grâce au langage corporel. Mais surtout grâce à ses mimiques. Rares sont les animaux dont la face permet de lire autant de choses. Si le chat est d'humeur détendue, amicale, sa face est lisse. En revanche, sa mauvaise humeur transparaît dans les plis de son front et de son petit nez. Même les yeux, les oreilles et les vibrisses trahissent ses états émotionnels. Ce ne sont pas les seuls baromètres de l'humeur.

Les yeux. Les yeux des chats ne sont pas seulement impressionnants, ils sont aussi très expressifs. Et comme ils sont en position frontale, comme ceux de l'homme, nous pouvons nous comprendre mutuellement par le « langage des yeux ». Par exemple, clignez des yeux à votre chat, très lentement et voluptueusement – il sera ravi de vous répondre de la même façon : c'est ainsi que les chats sourient ! Un chat n'est pas d'humeur à sourire quand il plisse les yeux de telle sorte que la marque claire de la paupière inférieure (cela se voit surtout chez les tigrés) disparaît dans le pli formé. Cette grimace s'accompagne généralement d'un puissant feulement. De même, la pupille ne réagit pas seulement à la lumière mais trahit un peu d'émotion. Un chat craintif fait de « grands yeux » même si la luminosité est suffisante. Mais s'il y a de la tension dans l'air ou s'il est d'humeur agressive, les pupilles peuvent se réduire même avec peu de lumière. Les chats équilibrés jettent sur le monde un regard tranquille et imperturbable : avec une expression qui nous touche profondément.

Les oreilles. Les oreilles des chats sont des instruments de précision et d'infaillibles baromètres de l'humeur. Quand le chat est plein d'entrain, attentif et amical, elles sont légèrement pointées vers l'avant. Mais si quelque chose capte son attention, ses oreilles « se dressent ». Quand il remue une oreille après l'autre, cela n'indique pas une humeur joueuse, mais plutôt l'irritation. Ce mouvement s'amplifie jusqu'à la menace concrète

Attaquer ? ou plutôt s'enfuir ? L'attitude de cet Abyssin montre qu'il ne sait pas encore ce qu'il doit faire.

quand on en voit le revers lorsqu'on fait face au chat – l'attaque est alors imminente. Effrayé, le chat replie ses oreilles vers l'arrière et les ramène sur le côté, il hésite entre la fuite et l'envie de se défendre. Quand il est prêt à passer à l'attaque, il les plaque latéralement et il se bat avec rage !

Les vibrisses. Les moustaches du chat ne sont pas qu'un système d'antennes et un ornement, mais aussi un moyen d'expression. Quand les vibrisses ne sont que peu écartées et dirigées vers le côté, notre tigre de salon se sent bien, alors qu'elles seront plus proches de la face lorsque l'animal est intimidé. Les vibrisses se déploient en éventail vers l'avant quand le chat est intéressé – par exemple, quand il s'approche d'une proie ou qu'il est ravi à l'idée de jouer. Vous pouvez être heureux si votre chat caresse votre visage avec ses moustaches : c'est de la pure tendresse !

La queue. Qui a dit que les chats étaient impénétrables ? En tout cas, leur queue trahit une foule d'émotions. Un chat équilibré laisse pendre sa queue, à la rigueur l'extrémité est un peu relevée. Une queue dressée indique la joie, l'entrain et la sympathie. Les jeunes animaux exubérants la courbent en point d'interrogation et sautent comme des cabris. Le tressaillement traduit l'excitation qui, par exemple, anticipe la joie de recevoir une friandise ou reflète une attention soutenue pendant le jeu. Mais quand le battement est violent, il n'est plus question de joie anticipée, mais d'énervement mêlé d'irritation. Si cela se produit pendant le jeu, arrêtez immédiatement ! Le chat se sent harcelé. Si, de plus, il frappe violemment le sol avec sa queue, ses griffes et ses dents vont bientôt entrer en action. Les chats et les chattes en colère donnent le signal de l'attaque en fouettant rapidement de la queue.

1 Je ne suis pas rassuré ici ! Les yeux grands ouverts, le chat observe quelque chose qui capte toute son attention.

2 Eh bien, dis quelque chose enfin ! Le chat « parle » à son adversaire et observe attentivement sa réaction.

3 Je n'aime pas ça ! Ses oreilles remuent l'une après l'autre, exprimant l'irritation et la défensive. Mieux vaut ne pas s'approcher !

4 En soufflant, crachant et poussant des cris perçants, le chat veut mettre l'autre en fuite, mais ses yeux et ses oreilles le trahissent : il a peur !

L'arrangement – l'art d'éduquer les chats

Tout chaton issu d'une « bonne maison » quitte sa nursery avec une éducation de base achevée avec succès. Il est propre, a appris à se conduire vis-à-vis des autres chats, traite tous les membres de la famille comme des congénères et est prêt à s'arranger avec les autres sur son territoire. Si seulement ils étaient tous aussi bien élevés ! Si, pour vous, le concept d'éducation est synonyme d'ordres, réprimandes et punitions, vous aurez la tâche difficile. Car éduquer un chat avec succès, c'est conclure des pactes dans un respect mutuel. C'est pénible à entendre, mais beaucoup moins usant pour les nerfs que les autres méthodes. Cela ne marche pas qu'avec les jeunes chats : ce qu'un chaton n'a pas appris, un chat adulte peut encore l'apprendre avec votre aide.

Un compromis de rêve : cette étagère est destinée aux livres, mais un de ses rayons est réservé au matou « grimpeur ».

Alternatives. Fixez-vous des objectifs réalistes mais ne perdez pas de vue les besoins de votre compagnon. Par exemple, il doit aiguiser ses griffes, mais vous devez lui interdire de griffer les meubles. Offrez-lui simultanément des alternatives ! Cela vaut aussi pour l'interdiction de chasser : escalades, courses, traque de proies fictives offrent de la distraction au chat d'appartement. Interdisez-lui de s'attaquer à vos plantes d'intérieur, mais assurez-vous que votre tigre a toujours « sa » verdure à disposition. Félicitez-le chaleureusement quand il utilise ces alternatives. Félicitations et renforcement positif sont les meilleures méthodes éducatives.

Discipline. Si, vous aussi, vous acceptez que votre chat vous éduque, certains conflits se régleront élégamment : il met la patte sur tout ce qui traîne ? La solution : ne rien laisser traîner. Rangez du moins ce qu'il ne doit pas toucher. Il quémande ? La solution : il n'y a rien de bon pour lui sur la table familiale, mais seulement dans son écuelle. Il fait tomber des petits objets de la table, de l'armoire ou de l'appui de fenêtre ? La solution : enlevez-les – (généralement) c'est plus joli. La fenêtre fleurie l'attire ? Rendez-la inaccessible ! C'est cher, mais efficace : installez une fenêtre coulissante.

Les zones interdites. Votre tigre de salon est le maître sur son territoire. Mais il doit accepter quelques zones taboues : par exemple, la cuisinière, les meubles de cuisine ou le clavier d'ordinateur, en somme les endroits où il peut se faire du mal ou causer des dommages. Stoppez-le d'un « non » ferme et/ou en frappant dans vos mains dès qu'il s'en approche. Ou soufflez-lui brièvement à la figure. Cela lui rappellera le soufflement de sa mère (p. 46). S'il s'obstine, dégoûtez-le de sauter, par exemple en couvrant les surfaces avec de l'adhésif double face. Quand il aura eu de la colle sur les pattes, il évitera l'endroit et vous pourrez ôter l'adhésif. Mais limitez les zones interdites et, en compensation, rendez les coins affectés au chat encore plus attrayants.

Les punitions. Ne vous laissez pas aller à des mesures répressives ou des flots d'injures ! Les deux effraient et le chat ne les comprend pas, parce qu'il ne fait pas le lien entre son « forfait » qui remonte à infiniment longtemps pour lui et votre réaction. Pincez l'animal au moment où il s'apprête à commettre un acte indésirable, freinez-le avec un « non » énergique et en tapant dans vos mains. Si vous le surprenez en flagrant délit, vous pouvez l'asperger avec un pistolet à eau ou l'effrayer avec un bruit déplaisant, mais à condition qu'il ne s'aperçoive pas que vous êtes à l'origine de cette action perturbatrice.

Cliquer. Connaissez-vous le clicker ? C'est un petit accessoire (en animalerie) qui a été employé avec succès dans l'éducation canine. Le principe : dès que le chien a un comportement souhaité, un « clic » retentit, aussitôt suivi d'une récompense. Vous pouvez également utiliser cette méthode avec votre chat, par exemple, pour qu'il aiguise ses griffes sur la planche à griffer plutôt que sur le canapé. Les premiers pas sont faciles : cachez quelques friandises dans votre poche. Et observez l'animal. Il lorgne en direction de la planche à griffer ? Cliquez et donnez-lui une friandise juste après. Il s'en approche ? Encore un clic et une friandise. Il y plante ses griffes ? Un nouveau clic, une nouvelle friandise et des félicitations chaleureuses. Le chat doit apprendre qu'un clic veut dire « très bien ! » Il reçoit aussitôt une récompense. Si le clic suit toujours immédiatement l'action, le chat fera le lien avec ce qu'il vient de faire. Il répétera ce comportement qui lui rapporte – même si les friandises sont remplacées à un moment ou à un autre par des compliments.

Quand on a de si merveilleux griffoirs à disposition, on est beaucoup moins tenté d'affûter ses griffes sur les meubles, tapis ou tapisseries de valeur.

Sortir librement, en toute sécurité

Vous habitez dans une région tranquille, avez un jardin et voulez permettre à votre petit compagnon de sortir ? Dès qu'il s'est parfaitement familiarisé avec la maison et l'environnement, vous pouvez envisager d'élargir son territoire. Ce n'est pas une décision facile, car les chats qui sortent vivent dangereusement, même dans les zones calmes. Examinez les environs avant de laisser sortir votre animal. Les points inquiétants sont entre autres :

› les routes à forte circulation dans un rayon proche (jusqu'à 600 m) ;
› les chiens dangereux du quartier ;
› le voisinage plus ou moins proche d'un terrain de chasse ;
› la proximité de champs de blé ou d'autres cultures (pesticides) ;
› les fréquentes annonces de « chats perdus » (chasseurs d'animaux ou ennemis des chats).

Les mâles « sauvages » non castrés des environs (peuvent transmettre des maladies par morsures). Sondez aussi l'ambiance du voisinage. Certains jardiniers amateurs et amis des oiseaux voient d'un mauvais œil les incursions de chats étrangers dans leur jardin. Prenez contact avec eux et faites preuve de compréhension – c'est la seule façon pour que votre tigre bénéficie aussi de compréhension et de tolérance.

Sortir librement. Pouvez-vous prendre le risque de le laisser aller à sa guise ? Dans ce cas, pensez aussi la sécurité ! Faites d'abord immatriculer et enregistrer votre chat dans un fichier national (Adresses, p. 62). Cela optimise les chances de le retrouver en cas de perte. La meilleure méthode : le vétérinaire implante sous la peau une puce électronique grosse comme un grain de riz, qui peut devenir visible grâce à un lecteur. Autre possibilité, le tatouage de l'oreille, mais cette méthode exige une anesthésie préalable.

Toujours en alerte, telle est la devise des chats en liberté. Et, pour ce chat aux aguets, il faut aussi veiller aux dangers comme cette berge abrupte !

L'ennui ? Les chats en liberté ne peuvent vraiment pas s'en plaindre : car, pour eux, il y a toujours quelque chose d'intéressant à voir.

Le chat en liberté et la loi

CHATS ERRANTS. Selon l'article 213.2 du Code rural, il est interdit de laisser divaguer les chats sous peine d'amende. Tout chat errant peut être capturé et conduit en fourrière. Si l'animal n'est pas identifié et non réclamé dans un délai de 4 jours ouvrés francs après sa capture, il peut être euthanasié. Si vous laissez votre chat divaguer et qu'il cause un accident sur la voie publique, le propriétaire est tenu pour responsable.

BLESSURES. Selon l'article 1385 du code Civil, « le propriétaire d'un animal, ou celui qui en a la garde, est responsable du dommage que l'animal a causé, soit que l'animal fût sous sa garde, soit qu'il fût égaré ou échappé ».

› Sonnez les heures de repas – au mieux avec une cloche de table. Cela fera sortir le vagabond comme par magie si vous ne le retrouvez pas.

› Même si les chats aiment vagabonder la nuit, faites-les rentrer à la nuit tombante.
Cela réduit les risques dus au trafic (les phares hypnotisent littéralement les animaux) et aux rencontres avec d'autres chasseurs nocturnes comme les martres ou les voleurs de chats. De plus, les oiseaux sont aussi mieux protégés.

› N'autorisez les sorties que si votre chat est castré et a reçu les vaccins indispensables (à clarifier avec le vétérinaire !).

Le compromis : la semi-liberté

Même dans une zone tranquille, les risques sont trop grands pour une liberté sans limites. La sortie protégée dans un jardin privé peut être une bonne alternative. Naturellement, il faut réfléchir ici aussi à certains points : si vous voulez sécuriser votre jardin pour votre chat, il vous faut du grillage avec des poteaux de fer de 2,30 m de haut, repliés vers l'intérieur à 1,80 m du sol. Vous pouvez aussi opter pour des filets de protection de 2 m de haut, tendus entre des perches télescopiques.
Autre possibilité : une installation en semi-liberté, également clôturée, qui fera office de centre aéré. Mais renseignez-vous impérativement pour savoir si vos constructions sont autorisées : souvent les projets échouent devant les règlements de copropriété ou le refus des autorités. Mais, il est presque toujours possible de sécuriser une terrasse avec un filet. Les systèmes de clôture électrique mobiles, avec un faible courant et une alarme, sont plus discrets que les clôtures « normales », mais il n'y a pas eu encore beaucoup d'expériences à ce jour.

Le temps du bien-être pour l'animal et son maître

Les chats savent ce qui est bon pour eux : le long sommeil réparateur et la rêverie futile, l'observation attentive et la tranquille contemplation du monde, la toilette voluptueuse – et action ! Et c'est là que vous entrez en jeu ! Même pour les mini-tigres qui peuvent faire les fous à deux, les parties avec le maître comptent parmi les temps forts de la journée. Il peut en être de même pour vous, car se concentrer sur le jeu avec son chat fait oublier stress, contrariétés et soucis.
Le jeu chasse la mauvaise humeur et vous ramène littéralement sur terre : installez-vous au sol quand vous jouez avec votre chat – il aime les rencontres à hauteur d'yeux. Accordez-vous une heure à une heure et demie de jeu par jour. N'ayez crainte : la partie ne se déroule pas d'un seul tenant, mais en plusieurs périodes : tantôt cinq minutes, tantôt dix, plus quelques séquences de quinze à vingt minutes chacune.

Les heures de jeu. Rien ne s'oppose à ce que vous fassiez une petite partie dès le réveil. Même si vous avez du mal, le matin, à vous mettre en train – votre chat vous montrera comment on mobilise son énergie. Et s'il y a une opportunité dans la journée – tant mieux ! À dire vrai, le meilleur moment pour jouer se situe en début de soirée et peut se prolonger jusque tard dans la nuit. Le crépuscule est le moment où nos petits

Quel plongeon ! Un chat ne se lasse pas de jouer dans une boîte remplie de papier qui bruisse.

Comment vais-je faire sortir cette balle ? Au moins, je peux la faire tourner en la poussant !

chasseurs s'éveillent, où l'être aimé rentre enfin du travail et où il veut également se délasser. Les chats qui sortent à leur guise dans la journée acceptent aussi volontiers une invitation à jouer tard dans la soirée. Ensuite, une autre petite partie avant de se coucher, et tout le monde plonge sous sa couette – ou dans sa corbeille.

Avec quoi jouer ? Les cannes à pêche pour chat (cannes avec un fil et une « proie » en peluche), le plumeau (tige avec des plumes), vendus en animalerie, les cordes souples, les liens d'une ceinture tressée usagée sont très prisés pour les jeux à deux. De même, tout ce qui bouge ou qui a la taille d'une souris, qu'il peut faire bouger, et aussi ce qui bruisse, froufroute ou produit d'autres sons. Pour les jeux solitaires : les souris en fourrure et en peluche, les petites balles dont l'intérieur bruisse et celles en caoutchouc plein, les sachets ou les chaussettes remplis d'herbe à chat, les boules de papier, les noix (qui roulent d'une façon si imprévisible), les bobines (sans fil !), etc.

Sécurité. Ne laissez jamais traîner les cordes et les jouets avec fil, afin que votre chat ne s'empêtre pas dedans. Retirez les yeux et le petit nez des souris-jouets, les rubans d'aluminium des plumeaux, et assurez-vous que les grelots ou autres petites pièces cousus sur les jouets achetés ne peuvent être avalés. Un jouet pour chat ne doit pas être plus petit qu'une balle de ping-pong. Jetez tout ce qui est coupant ou pointu !

Les jouets préférés du prédateur

Les chats sont des prédateurs. C'est pourquoi la proie est au centre de la plupart de leurs jeux. Qu'il s'agisse de poursuivre, de capturer ou de débusquer.

Les jeux de balle. Installez-vous par terre, sortez une petite balle de votre poche, montrez-la à votre tigre et faites-la rouler. Il se peut qu'il vous la rapporte (ou la renvoie d'un coup de patte), et on recommence. Les chats savent très bien dribbler et botter ! Que diriez-vous d'une partie de « Cat-rugby » avec une noix au lieu d'une balle ? Ou vous préférez le squash ? Lancez tout simplement une petite balle en caoutchouc contre le mur et laissez votre partenaire de jeu l'attraper après le rebond.

Poursuite. Vous pouvez lui faire traverser tout votre logement en l'attirant avec une canne à pêche pour chat. Utilisez aussi une corde à laquelle vous aurez attaché une souris fictive, une boule de papier ou une autre « proie ». Faites serpenter la canne ou la corde sur le tapis, faites-la aussi passer sous un tapis de couloir – attention, il risque de bondir ! – et dirigez-la dans les coins et sous les armoires, sur les chaises et les fauteuils, et en haut de l'arbre à chat.

En mission secrète : tous les chats aiment jouer à cache-cache – surtout, si l'homme se met à leur recherche.

Laissez le chasseur attraper la « proie » de temps à autre, afin qu'il ne se désintéresse pas du jeu.

Capturer. Faites danser dans l'air la proie suspendue à la canne à pêche – et permettez à votre tigre de la toucher avec sa patte une fois sur trois. Il existe des cannes à pêche pour chat extrêmement raffinées comme celle, dont les plumes tournantes imitent un oiseau qui vole.

Débusquer. Dans un carton, découpez un trou dans deux parois opposées. Posez le carton par terre avec l'ouverture dessous et introduisez un plumeau à travers les trous. Agitez-le et faites-le disparaître comme l'éclair dans le carton dès que votre tigre le touche avec la patte. Il va se mettre aux aguets et essayer de débusquer la proie. Il doit gagner au plus tard après trois tentatives.

Chercher. Découpez des trous dans un carton à chaussures et placez un jouet ou quelques friandises à l'intérieur. Le chat réussira-t-il à les attraper avec sa patte ?

Un bon jouet. Il va de soi qu'il existe encore bien d'autres jeux captivants. Bien sûr, votre chat peut aussi s'amuser tout seul avec une souris en peluche, des petites balles ou des sachets d'herbe à chat. On trouve dans le commerce des jouets excitants comme Play'n'Scratch™, qui combine une sorte de roulette pour chat avec une boule qu'il faut extraire (photo p. 54). Il y a des quantités de

En plein engagement physique pour saisir sa « proie » ! Les chats adorent bondir sur tout ce qui bouge, le jeu peut durer un bon moment.

jeux à installer sur l'arbre à chat ou une porte. Même les sacs en papier qui font du bruit font leur bonheur. Mais c'est entendu : un jouet n'est vraiment intéressant que lorsque l'homme est à l'autre bout. En tout cas, c'est l'avis du chat. À propos, mettez-lui toujours un petit choix de jouets à disposition. Rangez le reste dans un « coffre aux trésors » et faites un échange de temps à autre pour éviter l'ennui.

Plaisirs simples

À un moment donné, il y a autre chose de capital, même pour le plus joueur des chats : la pause câlin ! Qu'il est doux de se laisser caresser le dos, les flancs et le poitrail (le ventre beaucoup moins), et comme cela fait du bien quand le maître vous grattouille derrière les oreilles, sur le cou et entre les omoplates avec le bout des doigts. Il n'y a alors plus qu'une chose à faire : ronronner et savourer ! Mais votre minet cajoleur et ronronnant ne se contente pas de recevoir vos caresses : il vous fait aussi du bien. Pour nous humains, ces séances de câlins sont aussi du pur bien-être. Dès que l'on a un chat qui ronronne sur les genoux, on se détend presque automatiquement. C'est en effet très agréable, mais encore parce que les vibrations du corps du chat agissent comme un doux massage – c'est ainsi que le chat devient un thérapeute ronronnant.

Par ailleurs, nous avons des choses à apprendre de lui en le regardant. L'art de s'étirer, par exemple. Chaque fois qu'il se réveille, il nous en fait la démonstration. Faites comme votre chat. Cela réactive la circulation sanguine, assouplit les membres et fait reprendre ses esprits. Imitez aussi ses moments de pause ! Affalez-vous vraiment sur vous-même de temps à autre, quand personne ne vous voit – puis redressez-vous. Vous verrez, vous vous sentirez déjà plus frais et plus actif.
Et l'agitation quotidienne ? Elle n'impressionne guère le chat. Il aborde les choses avec lenteur, évalue la situation et attend, concentré, le moment favorable pour agir. Inspirez-vous !

Totalement concentré : le petit artiste de spectacle ne perd pas si facilement son équilibre.

Quand soudain tout change

De temps à autre, un peu d'animation sur le territoire, un peu de variété dans la nourriture (mais pas trop !), de nouvelles idées de jeu ou, à l'occasion, quelque chose de nouveau à flairer et à s'accaparer : tels sont les changements auxquels les chats prennent du plaisir. Sinon, ils préfèrent que « tout reste comme d'habitude » dans leur foyer. Mais, il y a parfois des imprévus et le tigre de salon doit composer avec la nouveauté.

Pendant les vacances

Le chat n'est nulle part mieux que chez lui, encore faut-il trouver les solutions pour sa garde.
Le faire garder. Demandez conseil à votre vétérinaire, ou adressez-vous à la SPA locale. Sur Internet, ou par le biais d'associations de protection animale, on trouve des « bourses d'échange » gratuites et interrégionales entre propriétaires. Des personnes gardent votre chat, en échange vous garderez le leur. Si vous avez trouvé quelqu'un près de chez vous, organisez un rendez-vous et faites connaissance. Le chat aussi doit flairer le maître de substitution au préalable.
Le mettre en pension. De nombreux hôtels et pensions pour animaux sont dirigés avec amour et compétence, d'autres pas. Assurez-vous que les animaux sont bien accueillis et que les exploitants respectent l'hygiène et la prévention. Est-ce que la pension n'accepte que les animaux vaccinés et déparasités, y a-t-il des contrôles vétérinaires ? Votre chat bénéficiera-t-il d'un logement séparé si la vie en collectivité ne lui convient pas ? Devra-t-il manger ce qu'on lui donne, ou aura-t-il sa nourriture habituelle ?
L'emmener avec vous. Mais parfois le chat doit vous accompagner. Que ce soit en voiture ou en train, ne lui imposez pas un trajet de plus de 8 à 10 h. Le passager voyage sans sa cage. 4 h avant le départ, ne lui donnez plus rien

Les chats préfèrent rester chez eux. Mais quand il faut changer de lieu, la cage de transport permet de voyager en toute sécurité.

à manger, pendant le trajet non plus. Proposez-lui un peu d'eau toutes les 2 h. Si l'animal est habitué au harnais et à la laisse, sortez-le de temps à autre pour les « pauses pipi ». Sinon, disposez quelques couches de ouate dans le panier de transport, que vous pourrez changer rapidement en cas d'incident. Pour voyager au sein de l'Union européenne, votre chat doit posséder un passeport européen (p. 62). Le ministère des Affaires étrangères vous informera sur les formalités d'entrée et les vaccins exigés. Pour ce qui est des voyages en avion, renseignez-vous auprès des compagnies aériennes.

Un déménagement s'annonce

Déménager peut être un pur stress, en particulier pour les chats. Par chance, il n'est pas si difficile d'épargner à minet une agitation inutile. Videz la plus petite pièce de la maison (ou la salle de bains). Installez-y ensuite la cage de transport garnie d'un coussin, peut-être un autre couchage, l'écuelle d'eau, un peu de croquettes et le bac. Éventuellement aussi quelques jouets ou un morceau de papier bulles (les chats adorent !). Enfermez le chat dans la pièce avant l'arrivée des déménageurs et le début du chaos. N'ayez crainte, votre tigre supportera plus facilement l'enfermement que toute cette agitation. Dans la nouvelle maison, équipez à nouveau la plus petite pièce avec tout le nécessaire, enfermez-y le chat et faites-le sortir une fois que les meubles sont à peu près en place et que les étrangers sont partis. Il pourra alors tout inspecter et reconnaître les odeurs familières. Offrez-lui, durant les jours et les semaines qui suivent, une routine rassurante, mais n'autorisez les sorties que lorsqu'il se sent vraiment chez lui entre ses quatre nouveaux murs.

L'adieu au petit compagnon

LES CONSEILS
DE L'EXPERTE
Brigitte Eilert-Overbeck

Il n'est malheureusement pas donné à tous les chats de s'endormir paisiblement après une longue vie. Trop souvent la mort est précédée de signes de vieillesse, maladie, souffrances et douleur. Il arrive un moment où la médecine ne peut plus rien. Et vous devez alors prendre la décision la plus pénible : le faire euthanasier.

PENSEZ-Y : il ne s'agit pas de décider si votre chat doit vivre ou mourir, mais s'il doit continuer à souffrir ou non. De l'endormissement il ne sentira guère plus que la piqûre de l'injection narcotique. Prenez-le sur vos genoux, une caresse, une parole, et votre petit protégé se sentira en sécurité jusqu'à la fin.

LE DEUIL, personne ne pourra vous l'ôter. Mais vous le supporterez mieux si vous pouvez en parler avec d'autres personnes.

VOS ENFANTS vivent peut-être pour la première fois la perte d'un être aimé. Apportez-leur votre soutien, écoutez-les, évoquez avec eux quelques souvenirs avec leur petit ami. Éprouvez ensemble que les larmes font parfois du bien.

Les numéros de page **en gras** renvoient à des illustrations.

Remarques importantes

› Les vaccins et les vermifugations sont indispensables pour ne pas mettre en péril la santé de l'animal et la vôtre.

› Certaines maladies et certains parasites sont transmissibles à l'homme. En cas de doute, consultez un vétérinaire.

› Les personnes allergiques aux poils de chat devraient faire un test avant d'adopter.

› Il existe des assurances contre les dommages que votre chat pourrait causer ; n'hésitez pas à vous renseigner.

Adresses

› École nationale vétérinaire
7, av. du Général-de-Gaulle
94700 Maisons-Alfort
Tél. 01 43 96 71 00
Site internet : www.vet-alfort.fr

› Société protectrice des animaux (SPA)
39, bd Berthier
75017 PARIS
Tél. 01 46 33 94 37
Site internet : www.spa.asso.fr
Dispensaire de la SPA
8, rue Maître-Albert
75005 Paris
Tél. 01 43 80 40 66

› Fichier national félin
112-114, avenue Gabriel-Péri
94246 L'Hay-les-Roses
Tél. 01 55 01 08 08
Site Intenet : www.fnf.fr

› Fondation Assistance aux animaux
24, rue Berlioz
75116 Paris
Tél. 01 40 67 10 04
Dispensaire vétérinaire
23, av. de la République
75011 Paris
Tél. 01 40 21 96 14

› Fédération française pour la gestion du Livre officiel des origines félines
5, rue Regnault
93697 Pantin Cedex
Tél. 01 47 71 03 35
Site Internet : www.loof.asso.fr

› Centre antipoison
Paris : Tél. 01 40 05 48 48

Sites Internet

Associations
› **http://www.abyssin-somali.com**
› **http://www.fffeline.com** (fédération féline française)

Éleveurs de chats
› **http://www.votre-chat.info**
› **http://planetefelin.free.fr**
› **http://www.felichats.com**

Faire garder son chat
› **http://www.frenchtoutou.com/info/garde.php**

Alimentation et santé
› **http://www.chatsdumonde.com/index6.html**
› **http://www.barf.ch**
› **http://www.30millionsdamis.fr**
› **http://www.ttouch.fr**

SOS : que faire?

Alerte aux vomissements

PROBLÈME. Le chat vomit des boules de poils en faisant des bruits inquiétants. **POUR L'AIDER.** L'herbe à chat fraîche aide l'animal à régurgiter, aussi mettez-en toujours à sa disposition. Un brossage régulier du pelage évite que de nombreux poils s'accumulent dans l'estomac du chat.

Froussard

PROBLÈME. Le chat est apeuré et désorienté. **POUR L'AIDER.** Prévoyez pour votre chat des aires de repli paisibles et contrôlez l'environnement. Peut-être qu'un rival pénètre sur le territoire par la chatière. Une chatière électromagnétique ne s'ouvre que pour l'animal qui porte un émetteur sur son collier et tient à l'écart les congénères importuns.

Fugueur

PROBLÈME. Le chat s'est sauvé, mais il est tout près. **POUR L'AIDER.** Prenez la cage de transport et approchez-vous lentement du chat en zigzaguant. Ne le regardez pas et murmurez pour le calmer. Dès que vous êtes assez près, posez la cage par terre – comme si c'était une « issue de secours ».

Il n'est pas propre

PROBLÈME D'ordinaire propre, le chat, a uriné sur votre lit. **POUR L'AIDER.** Allez chez le vétérinaire ! Ce comportement dissimule souvent un problème de vessie, plus rarement une insatisfaction par rapport au bac. Si tout va bien aussi avec le « coin pipi », cela peut venir d'un stress, sans doute causé par des changements. Peut-être avez-vous un nouveau partenaire ? Laissez-le s'occuper plus souvent des repas et autres « services » pour que la confiance s'installe entre eux. Faites disparaître toute trace d'odeur dans le lit, afin d'éviter la récidive. Remplacez la couverture douillette par une lisse ou recouvrez momentanément le lit avec une bâche de peintre ou une matière plastique similaire.

Il mord

PROBLÈME. Au lieu de se laisser prendre sur les genoux et caresser, le chat mord. **POUR L'AIDER.** Attendez que l'animal vienne de lui-même sur vos genoux. Pour les chats, le fait qu'on les retienne contre leur gré et qu'ils résistent constitue un « cas de défense ». Par conséquent, mieux vaut lâcher à temps !

Édition originale
Publiée en Allemagne sous le titre *Katzen*
GRÄFE UND UNZER Verlag
Postfach 86 03 25
81630 München

Édition française

L'éditeur utilise des papiers composés de fibres naturelles, renouvelables, recyclables et fabriquées à partir de bois issus de forêts qui adoptent un système d'aménagement durable.
L'éditeur attend également de ses fournisseurs de papier qu'ils s'inscrivent dans une démarche de certification environnementale reconnue.

Direction : Jean-François Moruzzi
Direction éditoriale : Pierre-Jean Furet
Édition : Christine Martin et Chloé Herla
Traduction : Mireille Touret
Correction et réalisation intérieure : Marie Vendittelli
Conception couverture : Nicole Dassonville
Réalisation couverture : Claire Guigal
Fabrication : Amélie Latsch

Dépôt légal : mars 2009
ISBN : 978-2-0162-1154-0
62-65-1154-01-4
Impression en Slovaquie par Polygraf print

L'auteur

Brigitte Eilert-Overbeck élève des chats avec passion depuis plusieurs années et a étudié à fond le comportement de ces animaux fascinants.
Elle a dirigé le département « Femme et Famille » de la chaîne TV Hören und Sehen et rédigé quelques articles sur les animaux domestiques. Elle a déjà publié plusieurs ouvrages sur les chats et des articles dans des revues spécialisées.

La photographe

Monika Wegler est l'une des meilleures photographes d'animaux de compagnie en Europe. Elle est également journaliste et auteur à succès d'ouvrages animaliers.
Vous pouvez trouver de plus amples informations sur le site Internet www.wegler.de.
Toutes les photos présentes dans ce livre sont de Monika Wegler, à l'exception de celles de Juniors/Schanz, U. (p. 11, droite), plainpicture/Schneider, R. (p. 50) et Jürgen Römer (photo de l'auteur).